阴阳师

〔日〕梦枕貘 著

林青华 译

南海出版公司

新经典文化股份有限公司

www.readinglife.com

出　品

目录

龙笛卷

怪蛇

一

进入阴历七月之后，雨仍下个不停。

如丝细雨淅淅沥沥，没完没了。

源博雅和安倍晴明坐在外廊的木地板上正喝着酒。

还是大白天。虽然已是下午，离傍晚还有充足的时间。

浓云布满天空，阳光没有直射下来，但完全不觉得晦暗。不知来处的光源就存在于大气之中。

云层的厚度比之前好像薄了一点。

晴明宅邸的庭院里杂草丛生，长势旺盛的几乎都是紫斑风铃草、野凤仙花、鸭跖草等野草。被雨水打湿的草叶亮晃晃的。

身穿白色狩衣的晴明靠坐着一根柱子，支起一条腿，视线似看非看地投向庭院。

"这么看来，最近好像发生了很多怪事啊，晴明……"

博雅端起酒杯往嘴里送，一边对神情淡然的晴明说着。

"怪事？"晴明问道，他的目光仍旧向着庭院。

"刚才不是说了吗？"

"说了什么？"

"就是关于蛇的事啊。"

"噢！"晴明点点头，仿佛这才知道似的。

"那……蛇怎么啦？"

"到处出现了呀。"

"到处？"

"前不久，在藤原鸭忠大人家里也出现了。"

"噢。"

"事情是这样的。"

博雅开始叙述起来。

二

在藤原鸭忠家里干活儿的侍女小菊，某天走路时右脚忽然一瘸一拐的。事情即起源于此。

最初瘸得不厉害，但不到两三天工夫，任谁都一眼就能看出来了。而且，她走路时还疼得皱眉蹙目。

"你怎么啦？"

鸭忠家的人问她时，小菊说："我右腿长了一个不好的疙瘩……"她说那块东西很疼。

一看，果然像她说的，在她右大腿内侧，生了一个大肿块。足有成人的拳头般大，肿胀成了紫红色。

家里人颇为吃惊，马上叫来有经验的人给上了药。可是，完全没有消肿的迹象。再将刀尖烧红，刺穿那肿块，打算挤出里面的脓液，不料却只是出血而不出脓。

"疼啊！疼啊！"

因为小菊疼得直叫唤，众人也无计可施了。

即便穿刺的伤口好了，那肿块还是不见小，反而又大了一圈。正一筹莫展的时候，一位奇怪的老人上门来了。

"我听说府上正为肿块的事而烦恼。"那老人说道。

他一头蓬乱的白发，连长须也是雪白的。脸上满是皱纹，只有埋在皱纹中的一双眼睛闪动着怪异的亮光。说话时，可见他嘴里的牙齿已经掉了好几颗，剩下的牙齿也已变黄。

所穿衣物似乎原本是白色的，现已脏污残旧，褴褛得好不容易才认出是窄袖的款式。

"可以的话，我愿意为贵府效劳……"

鸭忠家的人虽很诧异，但还是说：

"不拘是什么人，只要能治好了，什么都好说。"

对于声声呼痛的小菊而言，既然老人说行，也只好让他一试了，不试怎么知道呢。

进了屋，老人让小菊仰卧，将裙摆掀起来，观察右大腿处。

"嗬，生长得很不错呀。"老人说着，笑得很开心。

他转头对鸭忠家的人说："可以去弄一条活狗来吗？"

屋里的人都莫名其妙，但事已至此，无法拒绝，就到门外抓了一条正好路过的狗来。

老人在院子里打下四根木桩子，把活狗仰面朝天捆在木桩上。

"给我一个锥子。"

老人这么一说，就有人拿来一把锥子交给了他。他把锥子收入怀中，把小菊叫到庭院中。

此时，藤原鸭忠也出现在外廊内，饶有兴趣地注视着老人在院子里的举动。

老人让小菊仰躺下来，摆成与狗恰成对照的样子。他掀起小菊的衣裙，显露出右大腿上的肿块。

那条狗显得惊恐不安，牙齿咬得嘎吱嘎吱作响，嘴角冒出泡沫。

"请哪位拿长刀来——"

老人这么一说，鸭忠马上吩咐人拿来常用的长刀，交给老人，问道："这样的可以吗？"

"可以。"老人拔刀出鞘，照着仰卧在小菊旁边的狗的肚子，满不在乎地劈下去。那条狗"嗷"地大声惨叫起来。

"哇！"

旁观者无不失声惊呼。狗腹被刀刃竖着砍开一个大口子，鲜血飞迸，也溅在小菊的肿块上面。小菊因惊吓过度已失去了神志。

"这样行吗？"

众人不住地问，老人却丝毫不以为意。

"马上就成。"

老人的嘴角向上一扯，算是笑笑，说道。

急促喘气的狗不久就毙命了。

"这一手也够吓人的……"鸭忠眺望着这情景，自言自语着。他坐在外廊的木条地板上，问道，"然后怎么办呢？"

"等。"老人答道。

"等？"

"是的。"

"等多久？"

"马上就成。"老人重复着先前的话。

正当此时——

"哎呀！"

"快看哪！"

一直默默旁观的众人指着小菊的大腿喊叫起来。

肿胀得比成人拳头还大的肿块表面裂开了，一个黑糊糊的东西从中露出头来。

"这不是……"

"这不是蛇吗?!"

毫无疑问,那东西只能说是蛇。

一条黑蛇的头,从小菊的肿块里探出来。

就在众目睽睽之下,蛇爬出来了,眨眼间就爬出近尺长。蛇一边爬,一边把脑袋探向长刀劈开的狗腹。它爬行的痕迹,在小菊腿上的肿块到狗腹之间形成一条血线。但是,这么大的一条蛇,那肿块怎么能藏得下呢?

就在蛇从肿块里爬出足有两尺长时,老人从怀中掏出了刚才那把锥子。

他走向那条蛇,弯下身子,忽然从侧面扎向蛇头。

锥子穿透了蛇头。蛇身弯弯曲曲地扭动着,想逃回小菊的大腿里,但老人把锥子往外拉,蛇已无法逃回原来的地方。

小菊大腿的肌肤不停地鼓突着,令人恶心,似乎是蛇尾在拼命摆动,不肯被牵拉出去。

不久,蛇可能已精疲力竭,乖乖被老人从小菊腿中拉出来了。老人手中的锥子上悬垂下来的黑色蛇身,足足四尺有余。

虽说是蛇,它的眼却与通常的蛇眼不一样。本应有眼睛的地方只是空洞,没有眼珠。而且,覆盖在它身上的是逆鳞。

尽管蛇头已被锥子扎穿,蛇还活着,蛇尾卷住了老人握锥的右手。

"是它进了小菊身体?"鸭忠问道。

"正是。"老人点点头。

"它究竟是什么东西?"

"它虽然长成蛇的模样,其实不是蛇,不如说是其他的东西。"

"其他的东西?"

"是的。"

"是什么?"

"无关者还是不知道为好。"老人没有说出来。

"我要答谢你。你想要什么？"鸭忠问。

"答谢就不必了——"老人嘴角两端向上一扯，自得地一笑，说，"我把它带走，没有问题吧？"

"你说要它，拿来做什么？"鸭忠问。

"嘿，拿它做什么好呢？"

老人避而不答。

三

"晴明，这是前不久发生的事……"博雅说道。

据说老人就那么让蛇卷在胳膊上，出门而去。

"原来是用狗嘛……"

晴明自言自语着。

"下手也真够狠的……"

博雅皱着眉头说，似乎满脑子还是自己刚才所说的景象。

"噢。"

得到晴明的呼应，博雅这才心情好转似的说：

"这事情挺不可思议的吧？"

"要说奇怪倒的确是奇怪……"

"没错，是很怪，但我想知道你怎么看。"

"哎，博雅，听你的口气，好像除此之外，还有许多地方有蛇作怪，是怎么回事？"

"确实有。"

"可以跟我说说吗？"

晴明提出要求，博雅点头说声"好"，便开始叙述另一件关于蛇的怪事。

四

事情发生在参议橘好古的宅邸。被蛇伤害的就是橘好古本人。这也是不久之前的事。

一天，好古的背部忽然觉得灼痛。原以为是睡落枕了，却总不见好转。

一天、两天过去了，好古的背部渐渐肿起。肿块开始不怎么起眼，但逐日增大，到第五天，最初的拳头大小已扩展至整个背部。后背肿得像背着一个锅，而且是紫黑色的。

请来药师，使尽法子，都没有任何好转。背部肿胀得越来越厉害，除了剧痛，还兼有奇痒。因为伸手到背上抓挠不止，像瘤子般鼓起的背部皮肤已糜烂不堪。

好古无法站立，又不能仰卧，只好趴伏着，背部朝上，整天趴在床上。进食和大小解，都是在家人的搀扶之下才强撑起身应付的。

正在一筹莫展的时候，一位打扮奇特的老人上门来访，说：

"看来你们挺为难啊。"

他一头乱发，衣衫褴褛，双目炯炯。

正在家人疑惑之时，老人说："府上橘好古大人这样了吧……"

本应秘不外传的事，被老人说得丝毫不差。

"就让我来为府上大人效劳吧。"老人说。

老人肩头背着一个袋子似的东西，袋口用绳子捆扎着，竟是湿乎乎的狗皮做的。看来是杀了好几条狗，剥下皮缝制成的。新鲜的血腥味还直扑鼻孔。

家人将老人的话禀报主人好古，好古气息奄奄地说：

"只要能帮我办这件事，谁都行啊。"

老人立即被请进家中。

"呵呵，这个可是不得了呀……"老人一见好古，便自语道。他卸下搭在肩头的袋子。

"把它挂在那里吧。"

老人吩咐橘宅的人，让他们将皮袋子悬挂在好古正上方的屋梁上。他又从怀里掏出一块拳头大小的生肉，塞进从屋梁上垂下来的皮袋子里。

"请拿四根这么粗的青竹过来。"老人比画着说道。

好古的宅院里正好有一片竹林，于是家人立即砍下竹子，预备好四根青竹竿。

"烧起炭火，抓一把盐过来。"

四根青竹竿的一头放在炭火上焙烧，并将盐粒搓在上面。从橘宅中选出四个家人，让他们各自握住一根青竹竿。

老人脱去趴伏在床的好古的衣裳，将肿得高高的背部裸露出来。他吩咐持竹的人：

"好，用手上的青竹打在背上！"

但是，对于橘宅中的人而言，好古是他们的主人，忽然说要用青竹打他的背，他们实在下不了手。

"没、没关系，打吧……"好古说。

于是，四条汉子开始用手中的青竹打好古的背。

"听着，再使劲些！"老人说。

好古背上立即皮破血流。他咬紧牙关，忍受着痛楚。

"不要停！"老人说。

就这样，打着打着，出现了奇怪的现象。悬吊在梁上的皮袋起初是瘪的，但现在逐渐开始膨胀。这是怎么回事？

而且，进入袋子里的东西似乎还活着。悬挂着的袋子摇晃起来，表面的变化显示里头有什么东西在蠢动。

袋子为什么会胀大呢？

"啊！"一名手持青竹的人叫喊起来，"快看呀。"

好古高高肿起的背部竟然开始瘪塌下去。与此同时，从上方垂吊下来的皮袋子却越发胀大。似乎通过青竹的抽打，把好古背部的东西逼迫出来，赶入袋子中去了。

"继续打！"

众人照老人的吩咐，不停地抽打好古的后背。打着打着，好古的背部变成彻底萎谢的样子，再后来，那里的皮肤逐渐平复了。

青竹抽打之下，皮破血流，但现在好古背部的情况看上去却与常人无异。倒是那个悬挂着的狗皮袋子已经胀大得很厉害。表面还在不停蠕动。

"把袋子放下来。"老人看着三人合力才好不容易放下的袋子，说，"辛苦啦。"他显得心满意足。

"这个我要带走了。"

老人将那个显得很沉重的狗皮袋子轻而易举地搭上肩头。

"哎，请等一等——"好古一边穿衣一边起身，"可以让我看看袋子里的东西吗？"

"那好办。"

老人将袋子卸在地上，解开了扎住袋口的绳子。

"请您过目。"

老人在好古眼前打开袋子。

好古从袋口往里窥探，随即发出一声惊叫，倒退好几步。

袋子里有过百条黑蛇紧紧缠绕在一起，蠢动着。

老人沙哑着嗓子嘿嘿一笑，再次将袋子背上肩，走出橘宅。

五

"晴明，竟然连这种事也有啊……"

博雅一口气说完，将手中的杯子放在地板上。

雨已停了。不知不觉已是黄昏。不怎么觉得天色昏暗，是因为博雅说话的时候，覆盖着天空的云层渐渐散去了。

从云团与云团之间，露出傍晚澄澈的蓝天。这部分天空呈现出夏日的姿彩。

"这阵子，我身边还不断发生类似的事情。"

"原来是这样……"

"藤原鸭忠大人家的怪事和橘好古大人身上发生的事，肯定是有关系的。但是，要说两者之间有什么关系，我实在猜不透。"

"噢。"晴明点点头，一副沉思的样子，然后问道，"那个奇怪的老人到藤原鸭忠大人和橘好古大人家，是什么时候？"

"去鸭忠大人家是在四天前，去好古大人家应该是在昨天吧。"

"嗯。"晴明再次点头。

"哎，晴明，你知道什么了吗？"

"啊，还没有，但联想起一些事。"

"联想？"

"对。"

"联想到什么事？"

"稍等一下，还有一件事，你得先告诉我。鸭忠大人和好古大人近二十天来曾经去过东寺吗？"

"说起来，在大约半个月前，的确去那里参观过已故空海和尚从大唐带回来的东西……"

"是哪一位？"

"我说的是鸭忠大人，但好像好古大人也同行。"

"噢。"

"他们两个都对来自大唐的东西格外感兴趣。什么佛像呀、香炉呀、挂轴呀、佛具笔墨之类的东西，他们知道是空海和尚直接从大唐带回来，收在东寺里，早就对寺方说想一睹为幸，终于在半个月前实现心愿了。"

"是这样……"

"晴明，你为什么会提起东寺？你知道什么情况吗？"

"知道。"

"是怎么回事？"

"等一下。"

晴明说着，站起身来，身影消失在里间。

不一会儿，晴明带着一个紫色布包裹着的、有成年人脑袋大小的东西回来了，像原先那样在外廊内坐下，将那个东西放在博雅膝头。

"这是什么？"

"打开看嘛，博雅。"

"好。"

博雅拿起包裹，打开一看，里面是一座连成一体的木雕佛像。

"这是怎么回事？！"

木雕的形象是明王像坐在翅膀半开的孔雀上。

"孔雀明王嘛。"

"这我知道。为什么让我看这个？"

"这座明王像是空海和尚从大唐京城带回来的。我把它从东寺借了出来。"

"从东寺？"

"是从东寺的明惠大人处借的，就是昨天的事。"

"这有什么关系吗？"

"所以说嘛，博雅，我正想现在开始调查它们之间有什么关系。"

"调查？"

"对呀，得走一趟啦。"

"外出吗？到哪里去？"

"去西京。"

"西京？"

"你去吗？"

"唔。"

"天马上就黑了，雨也停了，我想，现在带上酒肴去西京，这主意也挺不错。"

"噢。"

"怎么样？"

"不错不错。"

"走吧。"

"走。"

事情就这样定下来了。

六

牛车踏着碎石前行。晴明和博雅在牛车里相对无言。

太阳已经下山，四周黑沉沉的。

飘浮在空中的云团飞快地向东移动。不知不觉间，晴空的部分变得比浓云的部分还要多。云团之间澄澈透明的夜空上，群星闪烁。

没有牧童驾车，只是一头大黑牛，在夜间的京城大道上向西进发。西京比东面萧条，住家也少。起初还偶然一见的灯火，现在已经看不到了。

"不过，晴明……"博雅向仍旧默然的晴明搭话，"为什么不去东寺而去西京？"

晴明紧闭红唇，视线投向帘外的黑夜，说话时也没有回过头来。

"因为有一位大人在那里。"

"有一位大人？"

"对。"

"他是谁？"

"去了你就知道了。"

晴明把他的紫色布包裹搁在膝上。

"可是，你为什么要把它带上？"

"看情况，说不定会用得上。"

"什么情况？"

"它原是天竺之神……"

"嗬……"

"孔雀吃毒虫和毒蛇，于是被尊为神受到祭祀，成了佛的尊神。虽说是神，但人们对它施的咒，其意义一直都随着时间的流逝发生变化。"

"对神施咒？"

"即便是神，一旦脱离人们加于其上的咒，也就不能存在于这世上了……"

晴明的目光回到博雅身上时，速度逐步放缓的牛车停下来。

"到啦，博雅。"晴明说道。

下了牛车，脚下是一片草地。雨后的草叶濡湿了博雅的鞋子和衣裾。

借着月光打量四周，发现面前是一所残破的小庙。周围杂草丛生，开始微微传来夏虫的鸣叫。

"是这里啊……"博雅自言自语。

晴明边点点头边向破寺的方向张望。

"道满大人，您在寺里吗？"晴明探问道。

这时——

"哎……"

破寺里传出一声低沉的应答，随着木板的嘎吱声，出现了一个黑色的人影。

"所谓'道满大人'，就是那位芦屋道满大人吗？"博雅问。

"正是。"

"晴明，是你来了啊……"就在晴明回答博雅的问题时，那人影开腔了，"不过来吗？"

"我去不了。"晴明说。

"有什么事？"

"我冒昧前来，是为了领回您在藤原鸭忠大人家和橘好古大人家获取的东西。"

晴明话音刚落，黑暗中传来道满低低的笑声。笑声小小的，给人稀稀拉拉的感觉。

"有什么还不还的？又不是你的东西。"

"我是受东寺的明惠和尚之托。"晴明说。

"你也会替别人办事吗？"道满说。

"嘿嘿。"道满的笑声传过来，"过来取嘛。"

"所以我不能去。"

晴明这么一说，道满哈哈大笑起来。此时，博雅似乎才察觉某种情况。

"喂，喂，晴明——"

博雅的声音轻而僵硬。他的眼睛盯着脚下和周围的草丛。

"别动，博雅。"晴明说。

仔细一看，发现近处的草丛和身边的地面上，到处都爬动着无数黑糊糊的细长东西。它们又黏又黑的体表不时在月光下反射出青光。

"你拿得了的话，尽管拿走好了。"

"那就承您的美意啦。"

晴明一点也不觉得为难，随即解开抱在身前的紫色布包。孔雀明王像从中现身。

"哇！"道满不觉失声叫起来。

晴明轻启红唇，悄念起咒语来。

孔雀明王咒——是孔雀明王的陀罗尼经。

归命觉者。归命觉者。归命我教。归命金光孔雀明王。归命大孔雀明妃……

晴明一边念着陀罗尼经，一边将孔雀明王像放置在草丛中，然后站起身来。他的双唇仍在念咒。

　　……祈请您的造物者，百物不侵者，请护我身。归命一切诸佛，僧众安乐，得生百岁，得见百秋。

二人周围的杂草随着晴明念的陀罗尼经窸窸窣窣地摇摆。看来有某些东西正在繁茂的草丛中争斗。

终于，争斗逐渐平静下来了。

"夫切，古切，达夫工，无切，诸事圆满……"

当晴明念完长长的陀罗尼经时，四周已复归静谧。

"结束了吧？"

晴明小声自语着，捧起刚才放在草丛中的孔雀明王像。

"噢……"博雅说话了。

作为孔雀明王像基座的孔雀，嘴边竟然衔着一条黑色的小蛇。之前并没有那么一条小黑蛇。

还有，孔雀的左脚踩着另一条黑色的小蛇。这也是之前没有的。仔细看晴明手中的木雕像，发现那两条小蛇都不是真的蛇，而是木雕的蛇。

"我这里的确收到您归还的东西了。"

晴明向道满低头致意。

"晴、晴明，这孔雀脚下和嘴里的……"博雅问。

"你刚才不是也看见了吗？"

"……"

"草丛中到处都是的东西，就是它们。"

"哦，是蛇吗？"

"没错。不过准确地说，应该是一种蛟吧。"

"蛟？"

"把它看作两种动物中的哪一种都没有关系，你认为它是什么就是什么好了。"

"不过，刚才草丛中到处都是啊。"

"原本只是两条。一条是在好古大人背部，它变成了许多条，但当孔雀明王出现时，就恢复成最初的两条啦。"

"噢，噢。"

就在博雅啧啧称奇之时，道满开腔了：

"喂，晴明，带酒了吗？把酒拿过来好吗？"

"我们过去吧。"晴明抱起捕获两条蛟的孔雀明王像，沉着地走过濡湿的草丛。博雅跟随其后。

"来得正好，晴明……"

道满满心欢喜的样子。

七

三人置身破寺之中。

没有本尊，屋顶有个破洞，月光微微从中透入。板壁垮塌了一半，木地板塌陷处有草露出头。夏虫就在身边鸣叫。

只点燃了一盏灯，晴明和博雅在木地板上坐下，与道满面对着面。

一个有豁口的瓶子。三只空的素色陶杯。

陶杯斟满酒后，三人畅饮起来。

"不过，晴明，我还没弄明白究竟是怎么回事呢。"

博雅把酒杯送到唇边，说道。

在他看来，这一趟本来颇有点深入虎穴的味道。但是，来了一看，竟是道满，晴明似乎已索回道满弄到手的东西。不管道满认为自己是来干什么的，反正晴明知道，他就是来妨碍道满的。既然如此，为何这道满竟能与晴明相对畅饮呢？

"我总有上当受骗的感觉。"

博雅这样想也不无道理。

"一切都起因于明惠大人的疏忽大意。"晴明说。

"疏忽大意？"博雅问。

"因为藤原鸭忠大人和橘好古大人要来，他便去整理要给他们看的东西。"

"是明惠大人吗？"

"对。当时，因为孔雀明王像也蒙了尘，他打算弄干净，但这两条蛟挺碍事的，他用布随手擦拭时，差点把蛟弄断了。"

"……"

"当时，明惠大人留意到，这尊孔雀明王像并非由一整块木头雕成，而是由三个部分组合成的。"

"噢。"

据说，孔雀明王和孔雀明王座下的孔雀是由同一块木头雕成的，但孔雀口衔的蛟和脚踩的蛟却都是能够拆卸的。

"让孔雀明王座下的孔雀口里衔着蛟，这样别出心裁的构思，并不常见。"

明惠觉得颇为新奇，又觉得卸下两条蛟更便于拭除污迹，便把两条蛟拆卸下来，放在一边，完成了工作。

"可是，明惠大人忘记把那两条蛟重新装嵌回原处了。"

过了一些时候，明惠察觉到这个问题，两条蛟却已遍寻不获。

"明惠大人这才发现事态严重。"

"发生了什么事？"

"首先，这是空海和尚于一百几十年前从大唐带回来的镇寺重宝。"

"还有其他原因？"

"有。它自空海和尚带回之后，被置于东寺，每日倾听空海和尚和僧众的读经之声……"

"对对。"

"若它被用于某种咒时，没有比它更强大的了。"

"但是，晴明，你怎么会连这些也知道呢？"

"因为明惠大人告诉我了呀。"

"噢。"

"明惠大人担心有人将蛟偷去，用于歪门邪道……"

晴明说着，微笑着瞥一眼道满。

"照理说，那不过是明惠丢人现眼而已。"

道满兴致勃勃地端起酒杯。

"为什么？"

"因为让我知道这件事了呀。"道满说道，"东寺四处找那些有可能干这种事的落魄阴阳师打听，我就认定有事情发生了。"

"这就是说……"

"蛟的失踪与我无关嘛。"道满说道。

"那、那么……"

"那蛟大概是自己逃出来的。"道满应道。

"真有那样的事吗？"博雅提高了嗓门。

"不能说没有。"说这话的是晴明，他又说，"以前不是有过佛像雕刻师玄德大人雕刻的天邪鬼，因为厌恶被广目天王踩在脚下，便趁机出逃的事吗？"

"是啊……"

"光是来到本国已有一百几十年了，一直被孔雀脚踩口衔的蛟，也会盼望脱身吧。遇上从孔雀口中取下、脚下挪出的机会，肯定得利用起来。"

"可它原本只是块木头而已。"

"只要有人拜过，什么东西都会有魂灵驻身吧。即便它们只是蛇啊蛟啊之类的，听了百余年的经，就是石头也会动的。"晴明说。

"根据我的调查，藤原鸭忠、橘好古偏偏在那寺里喝了水。"道满笑着说。

"水？"博雅问。

"对，的确是那样。"晴明点点头。

"可是……"

"我也问过明惠大人。我问他有没有谁在寺里喝过水。"

"然后呢？"

"据说鸭忠大人和好古大人当时喝了从井里打上来的水。"

"为什么水会有那样的灵力……"

"蛟原本是水中的精灵啊。它一旦获得自由，必然会潜入最近的水里。"

"那么，两条蛟就逃进了水井……"

"因为那里的水最近吧。"

"也就是说，鸭忠大人、好古大人把有蛟的水……"

"对，他们喝了那种水啦。"

"于是，蛟就进入了他们体内？"

"就是这么回事。"

"但是，在鸭忠大人家里，被蛟潜入身体的是侍女小菊呀。"

"你不知道那位鸭忠大人有个习惯，凡吃进口里的东西，必先有人试吃验毒吗？"

"那么，小菊就是验毒之时被蛟潜入了体内……"

"应该是吧。"

"好古大人身上的蛟为什么增加了那么多？"

"那是因为好古大人体内积存的恶气太重吧。"

"什么是恶气？"

"就是嫉妒他人、憎恨他人的心思。"

"就是说，好古大人这种心思特别强烈吗？"

"应该是吧。"晴明说。

"我也调查过，知道谁喝过水。于是算好蛟成长起来的时间，就去把它们收回来啦。"

道满笑嘻嘻地说着。

"收回来干什么？"博雅问。

道满痛快地大笑过后，才悻悻地说：

"当中的缘由，你向晴明打听吧。这个家伙一旦亲自出马，就不会空手而归。"

宴饮一直持续到半夜。

八

"晴明，那是怎么回事？"

博雅发问时，已在归途的牛车内。

"什么？"

晴明反问，似乎不知博雅所指为何。

"道满大人不是说问你吗？"

"哎呀，他是指什么事情呢？"

"别蒙我啦，晴明。我是问道满大人很干脆就撒手罢休的原因。"

"是这件事啊……"

在昏暗的车里，能感觉到晴明在怀里掏什么东西。

果然，晴明取出了一件东西。

那东西发出朦胧的青色磷光，在黑暗中隐约可辨。它的躯体被晴明的右手握住，尾巴缠绕在晴明的右腕上。

"晴明！"博雅在黑暗中不禁向后缩去，"这、这是……"

"就是蛟啊。"

"可是，它不是放回那边的孔雀明王座下了吗？"

"那已经只是纯粹的一块木头啦。"晴明说。

"什、什么?!"

"我想要的不是蛇形的木头，而是附在上面的东西。在这一点上道满大人也怀有同样的心思，因为正好有两条，我和道满大人便各得其一啦。"

"竟然是这样……"

"这就是道满大人所谓的'不会空手而归'。"

"可是，这样……行吗？"

"什么事行不行？"

"你打算怎么跟东寺方面交待？"

"当然是说已安全取回。"

"他们不会知道吗？"

"知道什么？"

"就是——那东西已是一块纯粹的木头。"

"他们要是知道，就不会闹出这种事情来。如果有谁知道那玩意儿已经变成纯粹的木头，明惠大人反而会大松一口气。"

晴明在黑暗中微笑着，用左手食指轻抚着蛟的颚。

蛟显出很舒服的样子，在晴明的手上屈着身体，缓缓地蠕动。

首冢

一

我要写一写贺茂保宪这个人物。

他是一名阴阳师，和安倍晴明同样呼吸着那个昏暗时代的气息。

贺茂保宪是晴明师父的儿子，即是阴阳师贺茂忠行的长子。有史料说保宪和晴明是师兄弟关系，也有人认为，保宪是晴明的师父。

保宪比晴明年长，但在这里我不想特别表明他的年龄，因为这样对以下要讲的故事可能比较方便。

阴阳道后来分为贺茂家的勘解由小路流和安倍家的土御门流，成为两支；若土御门流以安倍晴明为始祖，勘解由小路流的代表就是贺茂保宪。

保宪的阴阳之术据说超过了亦父亦师的忠行，有一则史料这样记述：

当朝以保宪为阴阳基模。

意思是说，本朝的阴阳师就是以贺茂保宪为首领。

晴明年幼之时，跟随师父忠行前往下京，他最先察觉到百鬼夜行的情况，报告了师父。这则逸事已多次提及。据说保宪也和晴明一样，自幼便能识别并非此世的东西。

《今昔物语集》里有这样一个故事：

一次，贺茂忠行受一位身份高贵的人物委托办袚事。所谓袚，是指驱除污秽和灾厄的仪式。既有作为惯常仪式的袚，也有具体地清除某种祸事、保护人身的袚。《今昔物语集》中没有具体说明是何种目的的袚，但从故事的内容来看，应属后者。

当时，贺茂保宪还只是个未到十岁的小童。这个小保宪向要出门的忠行恳求带自己一起去。他苦苦地恳求。忠行没有办法，只好带上不到十岁的保宪去袚殿。

所谓袚殿，就是举行袚的仪式的建筑物。有专门的袚殿，有时也在普通的房子中选一个房间当作袚殿，举行仪式。袚殿内设祭坛，前置八足案桌，桌上放置米、鱼、肉之类的供品，以及一些纸折的马、车、船，等等。

忠行坐在案桌前，开始念咒。委托做袚事的人都坐在忠行的后面，老老实实地低着头。至于保宪，他坐在忠行的侧面，一会儿发呆，一会儿左顾右看，一会儿又挠挠耳根。

不久，袚事做完，委托者散归，忠行父子也离开了袚殿。

归途之中，忠行和保宪同乘牛车。车四平八稳地走动。

大约走了一半的路，保宪忽然开口说道："父亲——"

"什么事？"忠行问道。

"那些是什么呀？"保宪说道。

"哪些？"

"我看见了奇怪的东西。"

"什么时候？"

"父亲做袚事仪式的时候。"

"你看见了什么？"

"在父亲念咒的时候，有好些像人又不是人的东西出现了，不知从哪里来的。"

《今昔物语集》中这样记载：

　　　一众喽啰神色可怖，既非人，然则以人形现身，其数在二三十……

保宪还说，这些怪异的人形不但食米啖肉，还骑乘安放一旁的纸马、纸车、纸船，在仪式进行之时喧哗不止。

"你看见了那些东西？"

"是的。其他人好像完全看不见的样子，但父亲您也看见了吧？"

"噢。"

"我一直在想那些到底是什么，可怎么也想不明白，所以才问父亲。"

"那些嘛，也就是那样的东西啦。"忠行说。

"那样的东西？"

"对。"

"我还是不明白。"

"这世上存在着那样的东西。如果你不是我忠行的儿子，我会简单地说那些是亡者……"

"不是亡者吗？"

"是亡者，但这样说还是不够全面。"

"哦……"

"所谓亡者，原指人死后，其魂魄变化所成的东西，但你见的东西，却与人死不死没有关系，而是一直存在于世上。"

"……"

"天地之间，石、水、树、土，还有你和我身上，都有那种东西存在。当人的魂魄凝聚不散，附在上面，便会成为你看到的那种东西。"

"唔……"保宪似懂非懂地应着。

"不过，父亲能看见这些东西，是经过多年修行才可以的。你是一个没有进行过任何修行的孩子，竟然也能看见……"

"是的，父亲。"

"你得实话实说：除了今天之外，以前你也曾看见那些东西吗？"

"是的，有时会看见。"

"嗯……"

"父亲的工作，就是跟那些东西打交道吗？"

"不单纯是这些。不过，基本上是吧。"

"挺有趣的啊。"

保宪说着，脸上浮现出笑容。

"原以为还是很久以后的事呢，看来该早着手才是。"

"您是指哪方面的事呢？"

"就是教给你阴阳之道的事。"

"阴阳之道？"

"是关于天地间的道理和咒。"

"噢。"

"因为那种东西随时会出现，如果你对此一无所知的话，有可能像道摩法师那样误入歧途。我要把我了解的一切都教给你！"

忠行这头大发宏愿，但这个十岁孩子的回答却有点漫不经心。

"哦哦。"

不过，忠行还是实现了自己的承诺。

从归来的那天起，忠行就像所说的那样，把自己懂得的一切都教给了儿子保宪。像干涸的大地吸收雨水一样，保宪将父亲所教的一切都变为自己的东西。

二

酒至微醺。

位于土御门大路的安倍晴明家，外廊的木地板上，安倍晴明和源博雅相对而坐，自斟自饮。

晴明一如往常地靠着柱子，支起右膝，右胳膊搭在上面。他很随意地穿着一身白色狩衣，目光似看非看地投向庭院。

皎洁的月光照着庭院。这是秋天的院子，四处长着黄花龙芽、龙胆、桔梗。秋虫在这些杂草中鸣唱。

晴明和博雅之间的木地板上，放着一个酒瓶。两人面前各有一只已斟满酒的杯子。还有一只空杯。

下酒菜是香鱼，撒盐烤熟，盛在各自面前的碟子里。

刚烤好的香鱼，香气散入夜间的大气之中。

"说到秋天的香鱼，就让人觉得伤感。"博雅边说边用手中的筷子戳着香鱼背，"像这样一到秋天吃香鱼的时候，我就不由得痛切地感受到时光的流逝。"

"唔。"晴明静静地点点头。

香鱼也叫鲇鱼，在秋天产卵。孵出的小鱼顺河而下出海，在海里成长，再返回原来的河流。时间在樱花落下的前后。

它们在清澈的河流里靠进食水藻长大，到秋天水温下降时，随着一场场雨水来到下游，再次产卵。产卵后的香鱼，无论雌雄都会死掉。

香鱼的寿命是一年。在一年里，诞生、旅行、成长、衰老、死亡——香鱼要经历这一切。

"哎，晴明……"

博雅用筷子撕扯着香鱼的尾鳍，嘴里嘟哝着。

"夏天仍像嫩叶般青绿的健壮的香鱼，到了秋天就变得衰老，呈现黑糊糊的铁锈色。简直就像看着人的一生啊。"

接着，博雅又用筷子扒下鱼头周围的肉。

"像这样吃秋天的香鱼，我不免觉得罪孽深重。但如果问我：要是在它没有衰老时吃掉它，就不会罪孽深重了吗？我又觉得那样也是罪孽深重的。这可真是挺烦恼的，晴明……"

"噢。"

"大概人吃什么，就是在剥夺那种东西的生命。不剥夺别的生命，人类自己又无法活下去——由此说来，人活着就是罪孽深重的吧。"

博雅放下筷子。

"所以，每当我在这个时节吃香鱼的时候，脑子里不知不觉就会涌出各种各样的问题。"

博雅左手捏起鱼头，右手按住鱼身。他拈住鱼头，慢慢掀起，把鱼头连骨一起从鱼身拿开。

"哎，这鱼骨弄得还真利索！"

博雅左手拈着鱼头连着鱼骨，碟子上留下完整的无骨鱼身。

"知道怎么弄吗，晴明？像我刚才那样，鱼骨很容易就弄出来了。"

"是千手忠辅教你的吧？"

"没错。黑川主那件事之后，他总会时时带些从鸭川捕获的香鱼到我家。"

博雅去掉背鳍和胸鳍，嚼起了鱼肉。

"是带鱼子的香鱼。"

碟子里只剩下连骨鱼头、背鳍、胸鳍和尾鳍。

"哎，晴明——"

博雅拿起杯子，眼望着晴明。

"什么事？"

"我刚才就注意到一件事。"

"什么事？"

"就是放在那里的杯子。"

博雅用眼神示意放在一旁、一直空着的第三只杯子。

"原来是那东西。"

"为什么把它放在这里？"

"其实是有客人要来。"

"客人？"

"在你决定要来之后，对方派家人来过，说是那人今天晚上无论如何也要见我一面。"

"那位客人要见你？"

"对。我跟他说了，已和友人有约在先，但对方还是说无论如何要过来，只好决定让他也来了。杯子是为他备下的。"

"那位客人是谁？"

"他嘛……"

晴明把杯子端到唇边，呷了一口酒，脸上浮现出无法言喻的表情。既似困惑，又似苦笑。

"很少见嘛，晴明，你也会露出那样的表情啊……"

"真的挺为难。"

"为难？是你为难吗？"

"对呀。"

"他究竟是谁嘛？"

博雅饶有兴味地大声问道，身子前倾。

"这位大人亲自前来，大概是有事相求。他平时不会轻易动身的。"

"噢？"

"他要求的事往往是很麻烦的。"

"所以你要说出他是谁呀！"

"不，既然是他，就用不着我现在特地说出来了。"

"为什么？"

"因为他已经到了吧。"

晴明的目光移向院子，只见一位身穿唐衣的女子站在月光下，身上带着朦胧的青光。

"晴明，是式神吗？"博雅见了，问道。

晴明微微点头，说道："蜜夜，是那位大人到了？"

"是。"被叫作"蜜夜"的女子点点头。

"带他过来吧。"

"已经来了。"

蜜夜说话之时，有东西从她背后走出来。

"啊……"博雅见了，不由得轻呼一声。

从蜜夜身后慢吞吞地现身的，是一头身形庞大的野兽。

"老虎？！"

博雅一副要站起来的姿势。

的确是一只老虎，但毛皮的颜色却不同。老虎毛皮一般是黄色加黑条纹，但这只老虎身上却没有任何条纹图案，漆黑一团。

老虎慢腾腾地拨开黄花龙芽，从停下脚步的蜜夜身旁走过来。绿莹莹的眼珠在黑夜里像磷火在燃烧。微微张开的口中，红得像鲜血一样，长牙映着月光，一闪一闪。

这头黑虎身上，骑着一个人。这人并非跨坐在黑虎身上。他侧坐在无鞍无垫、光溜溜的虎背上，望着晴明，笑容可掬。

这是一个身穿黑色狩衣的男子。

"不必惊慌，博雅。"

晴明把自己的筷子伸向博雅的碟子。碟子里是刚才博雅吃剩的香鱼。所谓剩下的部分，也就是鱼头、鱼骨、背鳍、胸鳍以及尾鳍而已。

晴明用筷尖挑起躺着的鱼头，理一下鱼头和鱼骨，让香鱼骨成为在水中游动的姿势。

他将背鳍放在鱼骨上，将胸鳍放在鱼身左右两边，最后用筷尖挟起尾鳍，放回它原来的位置——与鱼头反向的鱼骨另一头。

晴明将筷子尖按在鱼头上，口中轻轻念咒，然后对着香鱼"噗"地吹了一口气。于是，只有头和骨的香鱼竟然就这个样子缓缓游动起来，仿佛碟子里有水在流动似的。

只剩骨头的鱼摆动着背鳍、胸鳍和尾鳍，在月光下游向黑虎和骑在上面的人。

"真是……"博雅脱口而出。

当骨头鱼接近时，黑虎就像咽喉里蓄养着闷雷似的发出低沉的咕噜声。紧接着的一瞬间——

"嗷！"老虎吼叫着，向香鱼纵身扑去。

博雅看见的东西就到此为止。

正在扑向香鱼的老虎忽然消失了踪影。夜间的庭院里，只有蜜夜和那位穿黑色狩衣的男子站立在月光下。

"嘿！"

穿黑色狩衣的男子挠挠后颈，躬身伸出右手，从草丛里抱起一只小动物。

是一只黑色的小猫。这猫小得让人以为是猫崽，但从样貌四肢来看，应该是一只成年的猫。小猫不停地呲牙咧嘴，正啃吃着什么东西。借着月光仔细一看，原来是香鱼的骨头。

"它的尾巴是一分为二的！"博雅说。

的确，那只黑猫的长尾巴尖端分成了两叉。

"那是猫又嘛，博雅。"晴明说。

"猫又？"

"就是那位大人使用的式神。"晴明若无其事地说。

穿黑色狩衣的男子把黑猫揽入怀中，满脸笑容，说道：

"我如约来到啦，晴明。"

"欢迎光临，贺茂保宪大人……"

晴明说着，他那点过胭红似的唇上流露出一丝若有若无的微笑。

三

喝酒。

现在保宪加入进来，成了三人共饮。

"哎呀，真是让您受惊啦，博雅大人……"

保宪边端起杯子喝酒边说。

博雅当然也认识保宪。只是刚才事出突然，一下子没有认出是谁。

贺茂保宪比晴明更早供职于阴阳寮，历任天文博士、阴阳博士、历博士，当过主计头，现在担任谷仓院别当的职位。

当然了，博雅的官位比他高，所以保宪说话的语气颇为恭敬。

"我的确是吃了一惊，以为是真老虎出现了。"

"到晴明这里，总是希望搞点什么新意才好。"保宪显得很轻松。

"这酒怎么样？"

晴明这一问，保宪又端起酒杯喝酒。

"是三轮酒吗？很不错啊。"

晴明边往保宪的空杯里添酒边说："保宪大人……"

"噢？"

"您今天有何贵干呢？"

保宪用不拿杯的手挠挠头，丝毫没有为难的样子，说道：

"那件事呀，真是很为难。"

"是什么事？"

"头颅。"

"头颅？"

"藤原为成看来是被一个奇特的头颅盯上了。"

"是奇特的头颅？"

"你听我说，晴明，是这么回事……"

于是，保宪开始叙述起来。

四

三天前，贺茂保宪见到藤原为成，地点是在清凉殿。

保宪办完事，正从渡殿走向清凉殿，迎面走来了藤原为成。

为成显得双颊消瘦，脸色憔悴。他甚至没有马上察觉保宪已在眼前。

他注意到保宪，是因为保宪先向他打招呼，叫了一声"为成大人"。

为成闻声一哆嗦，明白打招呼的是保宪，才轻松下来似的长舒一口气。

"原来是保宪大人，您有什么事吗？"为成说。

"您气色不佳啊。"

"气色？"

"是的。"保宪点点头，说道。

保宪现职虽然是谷仓院别当，但谁都知道他曾在阴阳寮任职。虽说已离开阴阳寮，却仍是阴阳师的名门贺茂家的当家，现在仍有许多弟子辈的人任职阴阳寮。安倍晴明年轻时亦师从贺茂家的贺茂忠行大人。

被这位保宪忽然来一句"气色不佳"，为成当然吓了一跳。

"简直就像刚从坟场爬出来的死人的面相啊。"

保宪这么一说，为成忽然变得一脸颓丧。

"求求您了。"

为成几乎哭出来似的。

"请您救救我吧，请您救救我……"

他简直就是把保宪当成救命稻草，抱住不放。

可是，偏偏又是在那样的地方。是在渡殿往清凉殿走的途中，在那里被他拉住可是一筹莫展。

无奈，保宪说道：

"为成大人，可要被人看见啦。"

为成放开了保宪，好像也为自己的失态感到羞愧，他调整一下呼吸，说道：

"保宪大人，您看能抽点时间找个地方……"

"找个地方？"

"说实话，我这次遇上了很可怕的事情。"

"很可怕的事情？"

"是的。关于这件事，请务必给我出出主意。"

"噢。"

"关于这件事情，不是像您这样的人物肯定不行，保宪大人……"

"像我这样的？"

"阴阳师——而且还得是能力极出众的人物才成。"

"那么，去阴阳寮更好吧？安倍晴明在那边。"

"那边我刚才去了，说是他现在外出了，不在。"

"那，也不在宫里吗？"

"据我了解的情况，说他可能和源博雅大人一起，到逢坂山的蝉丸法师处听琵琶去了。"

"噢……"

"就在我走投无路的时候，您跟我打招呼了。"

"原来是这样。"

"可以听听我的情况吗？我真是太需要您的帮忙了。"

如此百般恳求，保宪也无法拒绝了。

"那就请您介绍一下情况吧。"

五

"早知道变成这样，我也不跟他打什么招呼了……"

保宪边举杯饮酒边说道。

在他盘坐的两脚之间，那只黑色的猫又盘成一团，闭目养神。

保宪喝一口酒，放下杯子。他将手指上沾带的酒在猫又鼻子前晃一晃，猫又微睁开眼，露出绿色的瞳仁，然后伸出红红的舌头，将保宪指头上的酒舔净。那指头往下一滑，轻抚猫又的喉部，猫又便很舒服似的闭上眼睛，喉咙里发出"咕咕"的声音。

"可是，当时为成大人面呈死相，所以我就脱口而出了……"

"面呈死相？"

"对。"

"……"

"你当时在就好了，晴明。"

"抱歉了。"

"据说你是到逢坂山的蝉丸法师处去了……"

"我和博雅大人一起到蝉丸法师那里，边弹琵琶边喝酒。"

"嘿！"保宪抬起抚弄猫又喉部的手指，挠挠自己的鼻尖。

"那，您答应了吗？"晴明问。

"为成大人的事吗？"

"对。"

"我去了。"

"在哪里谈的？"

"在车里嘛。"保宪说。

六

二人到为成的车子里说话，那车子停在门廊处。这是因为不想被人听见。

二人进入为成的车里，放下帘子，将其他人支开。

为成开始讲起事情的原委。

"其实，我不久前跟一个女人好上了，不时上她家的门……"为成压低声音说。

"噢，女人啊。"

"是藤原长实大人的女儿。她的名字叫青音……"

"发生什么事了吗？"

"没出事的那段时间挺好的，但是，有一天晚上，我跟另一个人在青音的家门口撞个正着。"

"呵呵。"

"那一位，是橘景清大人。"

"就是说，脚踩两只船，终于露馅了？"

"唉，就是那么回事。"

"然后呢？"

"但是，这是不可能退让的。我不肯让，景清大人也不肯让，青音姑娘也不知该如何选择。最终，大家说好另择日期，由青音姑娘作出一个决定，是选择我还是选择景清大人。"

"结果呢？"

"过了一天，青音姑娘派人送了一封信来。"

"哦，写信……"

"信上写着，请晚上到一条的六角堂来。"

"如果说的是位于一条的六角堂，那可是没有开放的六角堂呀。"

"是的。这个佛堂是先皇所建，预备要安放观音菩萨像，但佛像雕刻师未完成佛像就死了，最终什么也没有放，就是那样一个佛堂。"

这个佛堂也不是一所大佛堂。从入口到对面墙壁，若两手平伸向前走十步，指尖就能触到墙壁。

这样一个一直没有佛像、无人理会的佛堂，在风吹雨打之下已呈破败之相。由于一直无人使用，门极少打开，于是被称为"不开的六角堂"。

"要你去那里？"

"对。信上要我单独前往。"

"于是，你就去了？"

"是的。"

"那是什么时候的事？"

"昨天晚上。"为成说。不知不觉中，为成对保宪说话的语气更加恭敬了。看来是把希望寄托在保宪身上了。

昨天，为成是在晚上出门的。牛车来到六角堂前，为成吩咐随行的人明天早上来接，然后就让牛车回家了。

六角堂中似乎点着一两盏灯。

为成进了六角堂，见青音姑娘和橘景清坐在那里。

"原来不是约我一个人……"为成说道。

"为成大人，看来我也要向你说同样的话。"景清说。

为成像听不见景清的话似的，转向青音姑娘问道：

"姑娘，您今晚特地召我来这样的地方，是要玩什么游戏呢？"

木地板上铺着晕圈式印染的垫子，恐怕是日间预备的，青音姑娘坐在垫子上，静静地微笑着。

有两盏灯火。木地板上甚至备好了酒瓶和杯子。

三只杯子。

此外别无随从人等。大概青音也好景清也好，都把随从遣回家了吧。

若在这样的地方遭到盗贼袭击，绝对无从抵抗。用这种方式召人见面，这位大家闺秀也真是疯得可以。

但是，正是她这种性格吸引了我，恐怕景清也是这样吧。为成心想。自己偶尔会和景清在赴幽会时撞车。说不定，就是这位姑娘故意这么安排的。

为了今天晚上的一幕……自己也好景清也好，要按照这位姑娘的意思，上演一场二男争一女吗？至少自己产生了这种想法，所以话里用了"游戏"这个词，特地要青音姑娘和景清明白。若依她的意思，最终选中了自己，这当然是可喜之事。

总之，今天晚上的事若为出入宫中的人所知，一定会传言满天飞。为成心想，作为传言中的出场人物，可要尽量扮演好角色。

如果这是青音姑娘早有预谋之事，自己和景清就是她选择的出场人物。想到这一点，心里就很来劲。

"喂，来吧，来吧！"

景清也再次点点头。

"今夜究竟预备了什么消遣？"

被为成和景清催问，青音姑娘展露出灿烂的笑容，说道：

"今天晚上是满月啊。"

"满月？"发问的是为成。

"不拿灯火也可以走夜路呢。"

"你是说，我们从现在起要走夜路？"景清问。

青音没有回答这个问题，说声"请吧"，示意二人拿起酒杯。

待二人取杯在手，青音拿起酒瓶，替二人把酒杯斟满。

看着为成和景清一饮而尽，青音说道：

"从这里到船冈山的途中，有一座首冢，二位知道吧？"

"当然知道。"

"我知道。"

二人点头。

这座首冢埋有五颗头颅。

大约二十年前，发生了藤原纯友之乱，这次动乱被小野好古等人镇压，纯友被诛杀。这是天庆四年的事。

但是，余党落草为寇，为祸伊予、赞岐、阿波、备中、备后，连京城附近也不时波及。朝廷派追捕使搜寻，最后，捉获首谋者五人，押送回京城，判以死罪。

五人在鸭川河滩上被埋至颈部，连续十天不给吃喝。每天都把食物运到他们面前，但只给看不给吃。食物放在面前的地上，香气可及，却不能进入腹中。

　　"求您给一口……"

　　"就算以后砍头，现在也给点吃的吧！"

　　"好饿呀。"

　　不管他们怎么哭求，也不给一口东西。

　　在他们面前，狗和乌鸦吃掉了食物。狗啃去犯人们脸上的肉，乌鸦啄食他们的眼睛。

　　犯人们活了整整十天，简直不可思议。这十天里下了三次雨，总算给他们润了喉咙。如果不下雨，恐怕撑不过七天。

　　到第十天，才把他们挖了出来，就地斩首。

　　有人害怕犯人们死后作祟，就把一块拳头大的石头丢在他们跟前，吆喝道："嘿，吃饭吧！"

　　就在犯人们以为是饭，伸出头去吃的时候，他们的脑袋被砍了下来。

　　被砍下的头颅全都滚向石头的方向，据说竟有一个头颅咬住了那块石头，双目圆睁。

　　这样做是为了不使犯人们的心思落在行刑的差役身上，而是落在那块石头上。这样，犯人们便不会记得砍头者的面孔，也就无从作祟——这是差役们的想法。

　　埋了尸首，做个坟冢，将那块石头放在上面。

　　但是，据说有人夜晚经过那座首冢时，至今仍能听见从坟冢里传出来的声音。

　　"好饿呀……"

　　"好饿呀……"

　　"行行好给点吃的吧。"

　　"谁的肉都行，给我吃吧……"

"好饿啊……"

"好饿啊……"

"嗷嗷……"

"嗷嗷……"

据说这样的声音会对路过的人紧跟不舍。当然，这只是传说。为成和景清都没有亲耳听过这样的声音。

"那个首冢关我们什么事呢？"景清问道。

"我希望二位今晚到首冢走一趟。"

青音孩子气地说道，脸上挂着微笑。

七

"这简直就是《竹取物语》的故事嘛！"

说这话的是博雅。

在听保宪叙述事情经过的时候，博雅脱口说了这么一句。

青音姑娘以此来考验为成和景清。首先，二人中的一个先离开六角堂，他须走夜路前往首冢，然后再返回这里。作为真正抵达了首冢，而不是半途而返的证据，必须把冢上那块有成年人拳头大小的石头带回来。接下来，第二个人就带着这块石头出发，把石头放回原来的位置。

"第二天早上我们三个人一起出发，看看那块石头是否已放回去。"青音姑娘这样说，"我青音便属于能做到这件事的人。"

"如果两个人都能做到，那怎么办？"发问的是为成。

"哟，那就再想一个考验的办法吧。"青音姑娘兴致勃勃地说。

听到这儿，博雅便说，是和那个《竹取物语》的故事相似。

这个《竹取物语》的故事，又以《赫映姬》之名广为人知。从月亮下来凡间的赫映姬，遇到五名贵公子求婚。对这些男人，赫映姬预备了几道难题。

赫映姬要石作皇子去取大佛用过的石钵，要车持皇子去取蓬莱的白玉枝，要右大臣阿部御主人去取火鼠裘，要大纳言大伴御行去取龙头上的五彩玉，要中纳言石上麻吕去取燕窝中的子安贝。

"我将是达到要求的人的妻子……"

在晴明和博雅自由地呼吸着京城空气的这个时期，《竹取物语》的故事和汉文书籍一样，是宫中的通用教养书籍之一。

"这种做法，倒是青音姑娘的一贯风格。"晴明说。

"那么，他们两个都去了吗？"博雅问。

"噢，去了。"

保宪用右手食指梳理着猫又的喉咙周围，答道。

八

以抽签来决定谁先去。青音姑娘手握预先准备好的小石子，二人选答是在哪一只手中，答中者先行。

猜中的是景清。于是，景清先出门而去。

为成在六角堂和青音姑娘边喝酒边等待，但总不见景清的踪影。

离理应回来的时间又过了很久，景清还是没有回来。虽说半途上要走山路，但并不是难以辨认的路径。

拉起板窗朝外望望，美得令人叹息的满月当空高悬。如此月明之夜，即使没有灯火也能走夜路。

是途中被鬼吃了吗？或者遇上了强盗？或者是被首冢中的犯人之灵攫住？又或者——

"是胆小害怕，溜掉了吗？"

为成手端酒杯，喃喃自语。

即使景清不玩了，也不算为成获胜。要取胜的话，为成必须亲自前往首冢，把那块石头带回来。但是，如果自己外出，就要把青音姑娘单独留下了。虽然是她一手安排这件事，她也会感到害怕吧。

说不定她会放弃这游戏，要我不要去。

如果是青音自己提出中止游戏，为成当然没有必要再去，这场较量也就是为成不战而胜了。

不，如果我说要去，青音姑娘一定会要求中止游戏。

"姑娘呀……"满有把握的为成放下酒杯，"景清回来得太迟了，我去看一下情况吧。"

"噢，好的。"青音姑娘说得很轻松，"我也正想请为成大人去取石头，再顺便看看景清大人那边情况怎么样呢，你这样说，真是太好了。"

青音这么一说，为成就没有退路了。

"如果我带回了石头，这场比赛就算我取胜了吧？"

"当然。"青音点点头。

九

为成在赶路。

夜路。

终于来到了船冈山前，开始上山，因为月光清朗，夜间的山路比想象中要容易走。

但是，尽管路好走，晚上前往首冢到底是一件别扭的事。内心不免害怕。

景清那小子——

"开溜了吧。"为成自语着。

大概他在附近安排了一辆牛车吧。把牛车喊过来，乘车回家去了。肯定是那么干的。

咦，这不会是设计好的一部分吧——

也不妨这么想。可能景清和青音合谋，要耍什么花招。但即便真是那样，自己也无从识破。总之，只能走一趟了。

坡道上，树梢从左右两边伸过来，遮挡了一半月光。四周一片昏暗。好几次绊在树根或石头上，又有几次绊倒在地。

又一次绊倒了，一只手撑住地面。目光不经意地向前瞄瞄，看见一件东西——

一个人倒在那里。

站起来，走近仔细查看，果然是个人，而且已经死去。那身衣服倒是眼熟。

"是景清大人……"

为成脱口而出。

倒在那里的人，的确就是不久前离开六角堂的橘景清。

不过，用手去摸一下，感觉景清的衣服湿乎乎的。触碰过死者衣服的手指头黏糊糊的，一股腥味扑鼻而来。

是血。

为成大吃一惊。

再仔细看看，这具遗体没有了头颅。

为成用手去摸衣服，觉得遗体又薄又扁。手上黏糊糊，却不知摸到的是哪一块，还觉得特别硬。

衣服里是空的？！

景清的遗体几乎只剩下骸骨。

"天啊！"

为成惊呼一声，想站起来，但无法起身。他吓瘫了。

他双手和双膝着地，打算像野兽一样爬着逃走。想逃脱什么，连他自己也不清楚。总之要逃离那个地方。

爬着爬着，右手触到一件东西。他不假思索地一把抓过来一看，是一截肘部以下的残肢。

正是景清的右手。

"哇！"

为成惊叫一声，想把残肢抛开，但自己的手指深深地抠着那截残肢，无法甩脱。

而且，好沉重。似乎景清的右手还抓着什么东西。一看，那是成年人拳头大小的石头。

啊，这就是那块石头嘛——为成心想。

看来，景清已去过首冢了。然后才在归途中惨遭不测的吧？

为成好不容易才直起身来。他极力抑制着双膝的颤抖，迈开了步子。很想撒腿就跑，可脚下直打战，实在是跑不起来。

不知从什么时候起，为成左手竟然握着那块石头，拿着它一步步走。

要尽快往前走。尽快远离此地。

因为景清的手也不放开那块石头，也就是说，不知从什么时候开始，变成了为成握着石头，而石头上拖带着景清的残肢。等于为成拎着那只断手在走。

即便只是步行，也累得膝弯腰折。不过，拼了命也不能停。

为成几乎没有觉察到自己是提着景清的断手在走。

必须把这块石头拿到青音姑娘那里去——他的思维似乎停顿在这个念头上。

走啊走。月光洒满一路。为成热泪长流。

正当此时——

有一个声音传过来。

声音很小，是硬东西和硬东西相碰撞的声音。

吭！当！吭！

不止一两个东西。

吭！吭！当！

是从身后传来的。那声音从身后逼近来了。

随着它越来越近，声音也越来越大了。

好可怕啊。

为成觉得恐惧，但不敢回头看。

正要大喊一声向前冲，左手忽然被拽向一旁。一阵战栗传到手上，仿佛钓到一条大鱼那种感觉。

为成往自己的左手瞥了一眼，随即发出一声惨叫。

两个头发蓬乱的脑袋咬住为成拎着的景清的右手。这两个头颅正在左右晃动，如同野狗在撕扯肉块。

他不禁松开手，猛地把景清的断手扔了出去。

"哇！"

为什么会把那残肢带到这里来呢？为什么没有在途中扔掉它？

什么石头不石头，管它呢！青音姑娘什么的，已抛到九霄云外。

"好饿啊……"

"好饿啊……"

这样的声音传了过来，低沉而不祥。是咬牙切齿的声音。

"你竟然想抢走我们的食物啊！"

"这可是事隔二十年才有的食物啊。"

抬头望去，只见月光之下，几个头颅飘浮着，盯着为成。

"为成……"

有声音传来，是熟悉的声音。

仔细一看，那些头颅之中有景清的头，景清的一双眼睛怨恨地望着为成。

"你打算自己带回石头，跟青音姑娘成其好事吗，为成……"

之后的事情，为成就记不得了。

"哇！"

他喊叫着拔腿飞奔。

跑啊跑啊，他终于回到了六角堂。

"姑娘，姑娘啊！"

为成关上门，把吊起的板窗也拉了下来。

"啊，为成大人，为什么这样慌张？"

"景清大人被那些头颅吃掉了啊！"

已经口干舌燥的为成说道。

"哎呀——"

为成望着微笑的青音姑娘，不觉汗毛倒竖。

坐在眼前的青音姑娘，身体与头部所朝方向竟然不一样！

青音姑娘身体明明背向为成，脑袋却面向为成。如果是扭头面向这边，肩背也多少要转过来，可此时只有头部转向这边。

直到此时，为成才发现情况不对头。青音姑娘坐着的地板上，有一圈东西正在扩散。

是血。

"这是怎么回事？"

青音姑娘的头颅在灯光映照下轻悠悠地飘浮起来。她所穿的唐衣皱成一团，掉在晕染的垫子上。

"哇！"

为成大叫一声，冲了出去。

他跑向飘在空中的头颅，抓住青音姑娘的头，向尚未关闭的板窗跑去。

"为成大人，你干什么？"

为成将发出斥责声的青音头颅掷出窗外，把板窗关上。

他扔出那头颅时，右手的一截手指被咬掉了，但还是庆幸及时把头颅丢到外面去了。

没等他松一口气，又有一个重物砸在板窗上。大概是哪个头颅在撞击板窗。

"为成大人，请把这板窗打开！"

"把你的肉给我吃掉！"

"好饿呀。"

为成胆战心惊地透过板窗的缝隙向外窥探，在月光的映照下，发现好几个头颅在飞舞。

为成流着泪念起佛来。幸亏那些头颅没有办法打开门和窗，没过多久，东方的天空渐露晨曦。

"糟啦，天要亮啦。"

"怕什么，我知道为成家在何处。"

是景清说话的声音。

"我也知道！"

青音的说话声也传了过来。

"今晚再去他家吧！"

"好！"

之后，外面安静下来。

太阳照进六角堂时，为成已经等不及车来接他，便逃之夭夭了。

十

"噢，那天中午，在清凉殿的渡殿，为成大人和我正好碰上了。"保宪说。

"原来是这样。"

晴明点点头。

"这三个晚上，我都保护着为成大人免受那些头颅的攻击……"

"有什么事发生了吗？"

"唉，太麻烦了，晴明……"

"麻烦？"

"如果光是防止那些头颅的攻击，在他家宅几个适当的地方贴上符咒，放下板窗就足够了。"

“今天晚上呢？”

“我放了四张符咒，虽然不太放心，但不打开板窗的话，应该没问题吧。不过……”保宪欲言又止，望望晴明，“天天晚上这样也不是个办法啊。”

“保宪大人，您让那些头颅从此不再出现，也不成问题吧。”

“那是当然。”保宪点点头，“该怎样做才好，我也想了好几种方法。在实施方面应该没有问题，可是……”

“可是？”

“你很清楚，晴明，我对麻烦事是实在做不来。光是想出那些办法，我已经疲惫不堪。趴在地上找东找西呀，四处奔走呀，找人说好话之类，我做这种事特别差劲。”

“的确。”晴明苦笑着。

“派人到首冢和六角堂，找回景清大人和青音姑娘的遗体，运回各自的家，光是这些活儿，我已经想找个人交出去了。现在还没有明说，但景清大人和青音姑娘到底是怎么死的，应该很快会传开吧。”

“我想也是。”

“我希望在闹得满城风雨之前把事情解决。”

“解决？”

“晴明，你代我干，怎么样？”

“我代你？”

“对呀，这事情原本也是冲你去的，我好歹也给你完成一半了，剩下的你来做吧……”

“由我来？”

“没错。”保宪若无其事地端起酒杯，往嘴里送。

“首冢那边怎么样了？”晴明问。

“我没有去那里，据说有五个头颅巧妙地从土里溜出来了。”

“上面放的那块石头，似乎写着什么东西？”

"据说写着两个字。现在那些字也已经消失了……"

"好像是二十年前，净藏上人写的字吧？"

"正是。净藏上人在将门之时和纯友之乱时，都作了大威德法，以降魔伏灵。"

"净藏上人现在是在东山的云居寺吧？"

"怎么，晴明，你连这些都知道？剩下的事真的能独力承担啦。"

"要做倒是能做……"晴明苦笑着。

"怎么啦？"

"那块石头现在在谁手里？"

保宪听晴明这么问，便把右手的酒杯放在地板上，把空出来的手伸入怀中。

那只手再抽出来时，握着一块成年人拳头大小的石头。

"在这里。"

"您都安排周到了，我也没法不干啦。"

"拜托。"

说着，保宪又伸手去拿酒杯。

十一

"那样就行了？"

说这话的是博雅。他们在藤原为成的大宅里。

外廊的木条地板上，站着博雅的家人实忠。房檐下倒吊着一条死狗。这是实忠跑遍京城才找回来的遗骸。

"行了。"晴明点点头。

强烈的气息扑向站在庭院里的晴明和博雅。这是由于向狗的遗骸浇了刚捣好的葱汁。

"就这样，我们只需等到晚上就行了。"晴明说。

十二

夜晚，晴明和博雅在昏暗中静坐。

板窗都拉下了，也没有点灯。只有藤原为成急促的呼吸声。

实忠半跪在吊着死狗的屋檐附近，把耳朵贴在板窗上。

"我听见有动静。"实忠说道。

不久，那些声响也传入了博雅的耳朵。是牙齿咬嚼的声音。

声音逐渐挨近过来。

"好饿呀……"

"好饿呀……"

"为成大人今晚还是贴符咒、关板窗，待在里边吗？"

听得见这样的说话声。

不久，又传来异口同声的说话声：

"咦，这里有肉！"

"是狗肉！"

"是肉！"

马上，那变成了野兽贪婪地大啃猎物的声音。

"博雅，你看——"

听了晴明的话，博雅从板窗的缝隙向外张望，只见月光之下，飘在空中的七个头颅扑在倒吊在房檐下的狗尸上面，正啃食着死狗的肉。

"好惨啊……"博雅喃喃着。

头颅们咬住狗的尸体，吃着上面的肉，而他们吃的肉却全都从头颅下方掉到了地上和外廊内。

六角堂的地上掉的那些肉，也可能是经过撕咬后的青音姑娘的肉吧。这样一来，肉等于没吃，肚子根本填不饱。

"嗷嗷，好饿啊……"

"好饿啊……"

"怎么吃也吃不饱啊。"

听得见头颅们的说话声。不久，传来了令人心悸的声音。

是啃骨头的声音。

又过了一会儿，这样的声音也听不见了。接着，传来了头颅从各处撞击房子的声音。

"请开门！"

"请让我们吃肉！"

"为成大人……"

"为成大人……"

喊叫声持续了整个晚上。

将近早晨的时候，四周忽然静了下来。

等太阳升起，众人走到室外，只见整个屋檐前一片狼藉。

"唉，走吧。"

晴明催促博雅和实忠。实忠肩扛锄头。在三人前头，一只白狗嗅着气味领路。

"它在追踪葱汁的气味。"晴明说。

不久，白狗来到离为成家不远的一所独立的房子前，钻进架空的木地板下狂吠起来。

"过去吧，实忠。"

晴明这么一说，实忠便拿起锄头钻进架空的木地板下面。

从下面传来了用锄头掘土的声音，不久，就听见实忠喊道："找到了。"

他从架空的木地板下挖出了七个头颅。五个是旧的，两个是新的。新的就是青音和景清的。

"这样就解决啦。"

晴明轻轻地说了一句。

"哎呀，那实在是惊心动魄的一幕啊。"

博雅放心似的长舒一口气。

十三

青音和景清的头颅被葬在一起。

五个头颅被埋入原来的首冢，那块石头由净藏上人重新写上两个字，放在冢上。

也许是因为把大批食物和头颅一起填埋，自此以后，夜间在首冢附近走过的人就再没有听见奇怪的声音了。

十四

浅斟低酌。

地点是晴明家的外廊内。晴明、博雅、保宪三人在座。

像前不久的那个晚上一样，保宪盘腿而坐的两脚之间，睡着那只蜷成一团的猫又。

保宪伸出手指在酒杯里浸一下，然后将指头伸到猫又的鼻尖上晃晃，看似睡得正香的猫又微睁开眼，伸出红红的舌头舔舔保宪的指尖。

"哎，晴明，上次那件事情你干得挺漂亮嘛……"

保宪一边让猫又舔酒一边说道。

"哪里哪里，只因您保宪大人把准备工作都做好了啊。"

晴明答道，丹唇含笑。

"不过，那情景真是够凄惨的……"

博雅记忆犹新地说。

"狼吞虎咽，肚子怎么都饱不了。虽说是死不瞑目造成的怪事，但所谓人性，的确也有这样的一面啊。"

"嗯……"

"想到那惨死的模样就是人的本性，不禁让人又觉得可悲，又觉得可怜。"

博雅打住话头，目光投向庭院，仿佛回想起了当时的情景。

夜幕下的庭院，外观已尽呈秋色。

静候冬天来临的院子，在月光下缄默着，纹风不动。

"我可以吹一曲笛子吗？"

博雅说着，从怀里摸出叶二——从朱雀门鬼手上得来的笛子。

他将笛子轻贴唇边，吹起来。旋律像一条发光的美丽飘带，从笛子滑出。

笛声在月光下延伸，扩散到清秋的庭院。

月色和笛声溶化在秋之庭院。无法区分何者是笛声，何者是月光。

坐在廊下的博雅的气息，连他的肉体本身，仿佛都溶化在天地之间。

"了不起……"保宪不禁发出赞叹之声，仿佛是喃喃自语，"这就是博雅大人的笛声呀……"

晴明默然倾听，他让笛声穿透自己的肉体，溶化在天地间。

笛声不绝如缕。

虫姬

一

夜间的大气中，飘荡着一种甘甜的香气。

是藤花的气息。庭院深处，正开放着藤花。

藤蔓缠绕着老松，足有一个小童合抱大小的沉重花房，垂悬着好几串。

是白藤和紫藤。两种颜色的藤在夜色中沐浴着蓝蓝的月光，带着静穆淡然之色，仿佛被水濡湿过一样。月光似乎已经渗入花房，经发酵变成甘甜的气味，散发到大气之中。

"哎，晴明，简直就是月色芳香嘛。"

源博雅把心中浮现的念头直接地说出来。

地点是在晴明家的外廊内。博雅与晴明正相对而坐，浅斟慢酌。

晴明穿着凉爽的白色狩衣。他口角含笑，仿佛唇上酒香永驻。

昏暗之中有一两只萤火虫。萤火虫的亮光在空中一闪而逝，待目光追向那个方向，那亮光却又在视线外的另一处闪过。

两名身穿唐衣的女子分别坐在晴明和博雅一侧，见二人的酒杯空了，便静静地斟满酒。

蜜虫。蜜夜。

晴明用这样的名字称呼这两个式神。

晴明和博雅所使用的，是得自胡人地区的琉璃杯。

如果取过满斟的酒杯，向檐外伸出去的话，月光会注入其中，使酒杯带上一种色彩，仿佛透过琉璃观赏新绿嫩芽。光源是月亮的光，那色泽带着蓝色的调子。

"这样把玩琉璃杯，它就像是捕捉月光的笼子……"

博雅一边摆弄酒杯一边说。他脸色微红。

浅斟慢酌，两人都已微带醉意。晴明支着一条腿，像倾听着轻快的音乐一样，留意地听着博雅的话。

"不，不是笼子。酒杯让月光留存在自己体内，从这一点来看，算是个容器吧？不，是家才对吧……"

博雅自问自答。

"哎，博雅……"

晴明开了腔，随即呷一口酒。

"……就是那件事。"

晴明把酒杯放在木条地板上。蜜虫为他斟满酒。

"哪件事？"

"抓住，然后再装进去呀。"

"抓住再装进去？"

"对。"

"我不明白。你说的是哪一件事？"

"你知道橘实之大人的女儿的事吗？"

"就是家在四条大道的那位露子姑娘的事吗？"

"没错。"

"我知道。"

"见过面吗？"

"没有见过。"

"但是，听说过？"

"嗯。"

"据说她喜欢饲养虫子呢。"

"应该是吧。让小孩子捉来各种各样的虫子，把它们放进一个特别的笼子里饲养。"

"这姑娘挺有意思的嘛。"

"你这个'有意思'是指什么？"

"听说她不拔眉毛，不染牙齿，即使有男人在场也满不在乎地掀起帘子，抛头露面。"

"没错。宫中好事的人中，有人把露子姑娘叫作什么'虫姬'。"

"嘿，'虫姬'吗……"

晴明点着头，拿过斟满了酒的杯子，端到唇边。

"那位姑娘似乎还说过这样的话呢……"

博雅边拿酒杯边说。

"什么话？"

"鬼和女人，都是不为人见才好……"

"嗬！"晴明发出叹服之声。

"难得啊，晴明，你居然流露出这样的神情。"

"此人脑瓜好厉害呢。"

"所以嘛，橘实之大人也很头疼。"

"为什么？"

"教给她种种礼仪和写作，本想她就能出入宫中了，但似乎这位姑娘没有这个意思。"

"噢。"

"她说讨厌那种无趣的地方。"

"宫中无趣？"

"唔。"

"不是说得很对吗？"

晴明浮出微笑。

二

橘实之的女儿——露子姑娘，自幼即异于常人。

之所以这么说，只不过因为她的父母供职宫中。其实，作为小孩的露子再正常不过。她的特别之处，就是她长大之后依然带着一个正常的小孩子的天性。

她喜欢观察事物。

她喜欢触摸事物。

花草树木、天空云彩、石头水滴——这些东西都是她充满好奇的眼睛关注的对象。

如果下雨了，她会一整天盯着自天而降的雨水从棚顶滴落庭院，在积水里形成一圈圈水纹。在外面见到稀有的花草，也要带回家来，栽种在庭院里。头一次看见的花草或虫鸟，她一定得问清它们的名字。

"那是什么？"

如果问题得不到回答，她就让人到处去了解。这样还弄不清楚的话，她就自己给这些花草虫鸟取名字。

她找来画师，让画师画下这些花草虫鸟，在上面写上名字。

长大以后，她便自己动笔来绘画，为之取名。

露子对乌毛虫尤感兴趣。

乌毛虫也就是毛毛虫。她捉了毛毛虫回家来，放进笼子里饲养。

一开始，毛毛虫常常死掉，等到明白哪种毛毛虫要吃哪种植物的叶子后，毛毛虫死掉的情况就极少了。

笼子是木板做底，木条做方形框架，四面和顶上蒙着纱布。把毛毛虫放进笼子，再放入它们爱吃的叶子，然后透过纱布观察虫子吃掉叶子的模样。

有时候，露子会打开笼子，取出里面的毛毛虫放在手心里，托起来看个没完。照料露子姑娘的侍女们对她这种举动都唯恐避之不及。

"这毛毛虫有什么可爱之处吗？"曾经有一位侍女这样问她。

"呵呵，因为有趣所以有趣呀。"露子姑娘这样回答。

"虽然现在它没有翅膀，但这个地方会长出翅膀来，它就会飞上天空了。这多奇妙啊。奇妙才有趣嘛。究竟是什么在起作用，让它这样变化呢？我一想到这样的问题，就会整天想着，一点也不厌倦。"

"可是，它现在还不是蝴蝶。连两片翅膀都还没长出来的毛毛虫，怪吓人的。"

"哟，你不知道吗？蝴蝶的翅膀不是两片，是四片！我不是说蝴蝶有趣，也不是说毛毛虫有趣，是毛毛虫变成蝴蝶这件事情有趣！"

尽管露子作了这样的解释，侍女们还是不理解。

"人之爱花、蝶者，尚虚幻焉。人当究其根本所在。"

世上的人对于花、蝶之类，仅以其外观来决定它们的价值，这是很奇怪、很虚幻的事。带着追求真理的态度，寻找事物的本质，才是兴趣之所在——露子姑娘说的这番话，如同出自今天的科学工作者或学者之口。

"以心观之，虽乌毛虫亦具深意焉。"

露子姑娘说的是：仔细看它，虽然只是一条毛毛虫，也很不简单呢——它包含了许许多多的问题。

她收集的东西，并不仅限于毛毛虫，既养了猫、狗和小鸟，还养了蛇、蟾蜍等。

侍女们对此避之不及，露子姑娘身边倒是不知不觉聚集了一些天不怕地不怕的男孩子，她就支使他们去捕捉螳螂、蜗牛之类的东西。

发现了新的品种，她就自己给它们取名字。不仅给昆虫取名字，她还给手下的小孩子取名字，诸如蝼蛄男、蟾蜍麻吕、蚱蜢麻吕、雨彦等等。

"哎，蝼蛄男，你这次抓到的螳螂跟以前的螳螂有点不同啊。"

"蟾蜍麻吕，你找到的蜗牛外壳上的涡旋，跟普通蜗牛的方向正好相反。"

"蚱蜢麻吕，你捉回来的毛毛虫，原来是独角仙呀。"

"雨彦，你在河里抓的虫子，我给取了个名字叫水嗡嗡。"

当捉到稀罕的虫子时，露子就会这样说，并发给他们想得到的东西。这样，她的屋子里总是昆虫满地爬。

有时她会找人把风，成功地溜到大宅外面去。她是贵族家的千金小姐，不可以任意出门玩耍。所以，每逢孩子们捉了虫子来，她就要听他们的详细报告，在纸上记下虫子是待在什么地方，他们是如何捕捉到的，等等。

虽然年满十八，露子还是不像一般的贵族小姐那样把牙齿染黑。她一笑，红唇之间就会露出白齿。

她也不拔眉毛。所以她也不必描眉，还是长着天生的眉毛。

也不化妆，不过是早晚用手梳弄一下发际，把头发拨到耳后而已。

大家闺秀要做的事，她几乎都不加理会。她所做的除了这些事，就是读书、写字、埋头乐器——如此而已。

而她呢，书尤其读得比别人多，《白氏文集》、《万叶集》等，她都烂熟于心。

父亲橘实之时常对此发牢骚，她也不以为意。

"露子呀，你身边总是一大堆虫子，外人看来很是奇怪。你喜欢毛毛虫没关系，可别人都是喜欢美丽的蝴蝶。这里面的道理，你多少总得明白一些吧？"

"要是在乎别人说什么，那就什么事也做不了啦。我觉得探究世间万象、明白天地之理，比关心别人的事有趣得多呢。"

"可是，你不觉得毛毛虫恶心吗？"

"没有的事。父亲大人所穿的绢衣，也是用这种毛毛虫吐的丝织成的。由茧孵化出来、长出翅膀的那一下子，蚕就死掉了。没有比这更可爱的东西啦。"

"那么，你的眉毛和牙齿总该弄弄了吧？虽然不是送你进宫，但你也得学学别人，做个样子吧？否则你可是无人问津啦。即使有如意郎君，遇上你那副模样，本来有希望的事都成不了呢……"

"父亲大人，很感激您为女儿操心，但我就是我，不要掩饰，如果没人认可我，说'你这样就很好'，我宁愿这事不成。"

"话虽这么说，可你还是不了解这个社会才会这样说。露子呀，父亲的话，你多少总要听进去，就当父亲求你了。你才识过人，只要稍加修饰，肯定会有好男子赏识……"

尽管实之这样说，露子姑娘还是不放弃饲养虫子，也不拔眉染齿。

"行啦行啦，就这样子吧。"

露子姑娘嘟哝着，一笑置之。

"……鬼和女人，都是不为人见才好。"

三

"有意思，好一个'鬼和女人，都是不为人见才好'啊……"

晴明边举杯畅饮边说。

"不过，晴明——"博雅开了腔。

"说吧，博雅。"

"就是那句'不为人见才好'……"

"怎么啦？"

"女人不为人见才好，这个我明白。"

"噢。"

"丽人隐身珠帘、屏风之后，更显出她的涵养。另外正因为看不见，要从其诗文、声音加以推测想象，更可在对方心目中树立起难忘的形象。"

"噢。"

"为什么鬼也是这样呢？"

"……"

"露子姑娘说'鬼不为人见才好'，并不仅仅是'不遇见鬼才好'的意思吧？"

"那倒是。"

"那么，这句话究竟是什么意思？这个地方我想不通。"

"……"

"晴明，这个问题你讲解给我听，好吗？"

"这个嘛，就是咒的问题啦。"

"又是咒？"

"不喜欢吗？"

"噢，你一说到咒，不知怎么搞的，我一下子就头大。"

"其实一点也不复杂。"

"不不——太复杂。"

"真拿你没办法。"

"有办法。你讲解时不用咒打比方就行了。"

"博雅呀，我并不是用咒来打比方，咒就是咒嘛。"

"总而言之，讲解时不要提咒，告诉我答案就好了。"

"明白啦。"

晴明苦笑着点点头。

"那就拜托啦。"

"博雅，这就是说……"

"哦。"

"鬼这玩意儿待在什么地方？"

"鬼待的地方？"

"对。"

"那、那是在……"博雅欲言又止，然后忽然想起什么似的冲口而出："它待的地方，是人！"

"人？"

"待在人的心中。鬼不是潜身于人的内心之中吗？"

"正是，博雅。"

"噢。"博雅点着头。

"任何人，内心都有鬼存在。"

"噢。"

"正因如此，人才懂得珍重别人。"

"……"

"而且，人也会珍重自己，以免那只鬼从自己心中露出头来。人为了不让心中的鬼冒出来，才代之以吹笛、绘画、念佛。"

"……"

"为了不让鬼从心里露出头来，你也会像珍视自己一样珍重别人。"

"噢。"

"鬼存在于人的内心之中。但是，正因为那只鬼是不为人见的，人才会害怕他人，也会敬重他人、仰慕他人。如果这只鬼真的呈现在眼前，这人世间也就很乏味了吧。"

"晴明，这就是说，如果能够明白他人的心，世上就很无趣了，对吧？"

"没错。正因为人心不能看透，这世界才会有趣。"

"原来是这个意思。"

"是的。"

"幸亏没有提到咒之类的东西。"

"哪里的话，用咒来说更加便捷。"

"不不，咒还是免了吧。刚才那么说就足够了……"

"真的？"

"不过嘛，晴明……"

"什么事？"

"虽然话是这么说，人会变成鬼的事，还是有的吧？"

"这不是理所当然的吗？"

"理所当然吗？"

"人就是这样的呀。"

晴明说出这么一句话，喝了一口酒。

"果然不错，我明白你为什么说露子姑娘脑瓜绝顶聪明啦。"博雅望望晴明，又说道，"不过，晴明，那又是怎么回事？"

"哪回事？"

"就是你问我知不知道露子姑娘的事。她发生了什么事吗？"

"对。"晴明点点头，把酒杯放在木条地板上，"其实，今天中午，橘实之大人来找过我……"

四

橘实之只带了一名随从过来。

牛车进了大门停下，橘实之下了牛车，请晴明带路入内，仿佛要避人耳目的样子。

实之官从三位，身份较晴明高，通常是不会专程前往晴明宅邸的。这是一次不事声张的暗访。

与晴明对面落座后，实之立即直言以告：

"我遇到了难题。"

"请问是什么事？"晴明沉着地问道。

"是我女儿的事。"实之叹了口气，"晴明，你也听说露子的情况了吧……"

"我听说她喜欢虫子。"

"就是那回事。"

"虫子方面，出什么事了吗？"

"是的……"嘟哝了这么一句，实之缩了缩脖子，像是看见了什么恶心的东西似的，"那事情后来弄得实在很可怕。我忍耐了一段时间，终于受不了了，所以来找你商量。"

"您请讲吧。"

"就是乌毛虫的事……"

实之开始讲述起来。

五

约一个月前起，露子开始饲养一条奇特的乌毛虫。

是一条漆黑无毛的乌毛虫，约有成年人拇指般大，身上有红色的斑点，给人有毒的感觉。

是蝼蛄男捉到这条虫子的。据说，他是在神泉苑寻找虫子的时候，在齐眉高的樱树小枝上，凑巧发现这条乌毛虫趴在嫩叶上，正在啃吃樱树的嫩叶。

栖息在樱树上的乌毛虫一般是长毛的，但这条乌毛虫却没有毛。仅此便已很罕见，加上它的样子和颜色，都是蝼蛄男迄今从未见过的。

蝼蛄男立即连树枝一起折下，把这条乌毛虫带了回来。

"哎呀，真是很罕见的乌毛虫啊！"

露子惊喜地叫起来。

连露子也是第一次看到这种虫子，自然不知其名。

"反正问谁都不知道，就让我来给它取名吧。"

露子给那条乌毛虫取了名字。

"瞧它那模样，身体黑糊糊的，又有圆点图案，就叫黑丸吧。叫黑丸挺好。"

就这样，那条乌毛虫被称为"黑丸"。

"黑丸会变成什么模样呢？是翅膀很大的凤蝶吗？或者像它的身体那样，是一只黑翅膀蛾子？但也不一定因为原来是黑色，就会长出黑色的翅膀呢。真是令人期待呀。"

黑丸被放进了蒙着纱布的笼箱里。往里面放进带有树叶子的樱树枝，黑丸随即刷刷地啃起来，把叶子吃掉。

觉察到事情不同寻常，是在第二天的早上。

看看笼箱里，发现昨晚放进去的樱树叶子已经一片不剩，黑丸身躯变大了两轮以上，正躺在那里。黑丸已有两根大拇指并拢般粗，也更长了。

"很能吃啊。"

又给了它很多樱树叶子，它照样一下子啃吃精光。

第三天早上，它长得更大了，前一天晚上堆得满满的樱树叶子同样不见了踪影。

"黑丸呀，你究竟是什么乌毛虫嘛？"

又给了它很多树叶子，依然是转眼工夫就让黑丸吃掉了。

到了第五天，黑丸已长成番薯般大，那个笼箱已经容不下它了。弄来一个更大的笼箱，把黑丸放进去，但不久又觉得窄小了。

樱树叶子放了又放，每次它都是一下子就吃完。树叶子没有了，黑丸就会发出"吱吱"的鸣叫声。乌毛虫发出叫声，真是闻所未闻。

试着给它喂庭院里的其他树叶子或者青草，它也照吃不误。

到了第十天的早上——

看看笼箱里面，纱布被弄破了，黑丸不在里面。

"黑丸呀，黑丸……"

找着找着，露子脚下忽然踩到了怪怪的东西。一个细长的东西，有点硬，又有点柔软……捡起来仔细一看，竟然是老鼠的尾巴！

露子惊叫一声，把手中的老鼠尾巴丢到庭院里。

庭院的草丛中，有个东西在蠕动。走下庭院看清楚，原来是已长成猫般大小的黑丸。

"黑丸！"

黑丸正在草丛中啃咬老鼠。可是，为什么黑丸这条乌毛虫能抓到像老鼠这样行动迅速的小动物呢？

原因不久就弄清了。

黑丸长大了，自然也爬得更快，但也不是快得足以捉住老鼠。

黑丸的身后丢弃着只剩下脑袋的老鼠残骸。

当露子追上爬动的黑丸时，黑丸忽然停止动作，蜷缩起身体。

露子伸出双手正要抓住它，黑丸蹦了起来，从地面弹起，以惊人的速度在空中飞过，扑在前面一棵松树的树干上。

"天呀！"在场的侍女们一齐惊叫着倒退数步。

要是太接近了，被它忽然扑到身上该怎么办？侍女们不由自主地向后退也是很自然的。

只有露子走上前去。

"淘什么气呀，黑丸……"

当露子的双手伸向一扭一拧地顺着树干往上爬的黑丸时，侍女们发出了惨叫般的声音。但是，露子满不在乎地双手抱起黑丸，把它从树干上扯下来。

"您这是干什么呀？"

"万一它像吃老鼠那样吃人该怎么办？"

"快扔掉它吧！"

侍女们看着露子手中那吓人的虫子，异口同声地说道。

"嘿，同样大小的猫，不也吃老鼠吗？但不等于猫也要吃人嘛。"

吱——吱——

黑丸在露子手中发出鸣叫声。

用木头新造了笼子，将黑丸放在里面，但又逃了出来。它竟然啃坏了造笼子的木头，弄破了笼子。

找到它的时候，已长成小狗般大的黑丸正在啃吃黄颔蛇。

事到如今，侍女们都躲得离黑丸远远的。

"弄死它吧！"

"从来没见过这样的乌毛虫。"

"肯定不是寻常之物，是沾了妖气的东西吧。"

尽管侍女们七嘴八舌地反对收留黑丸，露子还是不为所动。

"说什么呀。正因为是没有见过的，所以我才要养嘛。"

这些事终于传到了父亲实之耳中。

"乌毛虫吃掉老鼠和蛇这种事情，真是闻所未闻。我看它确有魔力。露子，你还是把它处理了吧——把黑丸杀掉，怎么样？"

然而，露子的态度很坚决。

"杀掉它绝对不行。在没看见它能孵化成什么东西之前，也不能扔掉。说它是有魔力的东西，何以见得？"

"这不是——明摆着它是有魔力的东西吗？"

"我是说，父亲大人是怎么知道的呢？"

"我当然知道。"

"即便是有魔力的东西，我也想看看它的孵化过程。"

劝说没有结果。一筹莫展的实之只好来请晴明帮忙。

六

"我真不知该怎么办才好啊，晴明。"

实之对晴明说道。

"噢，那黑丸现在长成多大了？"

"自那时起，已经过去十多天了。三天前我去看了，已经长成小牛犊般大。"

"有牛犊般大了吗？"

"也没法给它做笼子了，就把牛舍再加固一下，把它关在里面。"

"露子姑娘也给这条乌毛虫——黑丸绘了图吗？"

"我带来了。"

实之从怀里掏出折叠好的纸，在晴明面前打开。

晴明拿起来看，上面果然描绘着一条黑色乌毛虫，虫身遍布红点，与传说中无异。

仔细看过之后，晴明不禁"嗯"了一声。

"怎么样？"

"实之大人——"晴明的口吻显得郑重其事，"您对我晴明已经毫无保留了吗？"

实之迟疑起来。

"不不，没有什么要隐瞒的。"

实之说完，晴明看了他一眼。二人相对无言。

"啊，你是说我还有所隐瞒吗？"

"恕我冒昧。您有什么忘了说吗？您能回想一下忘掉的事情吗？"

晴明又看了实之一眼。他的眼神，似乎连实之已咽下腹中的食物也看了个分明。

"晴、晴明……"

"回想起来了吗？"

"我想起来了。"实之承受不住般地说道。

"那就太好了。"晴明微微一笑，"那就请告诉我回忆起来的情况吧。为了这件事，您找过什么人吗？"

"啊，是的是的，我找过人。"

"是哪一位？"

"嗯，是芦屋道满……"

"噢，原来是去过道满大人那里……"

"是这样。"

"去做什么呢？"

"这个嘛，就是……去求他帮忙。"

"为了……"

"就是为露子的事。"

"然后呢？"

"我请他想办法解决露子喜欢饲养虫子的问题……"

"噢。"

"我问他有没有什么好办法。"

"那，道满大人怎么说？"

"他说有办法。"

"什么办法？"

"他说只要用蛊毒即可。"

"噢，原来是蛊毒。"

据说道满是这样说的：

首先，得抓来上千条乌毛虫。什么乌毛虫都可以。集齐后，放进这样大小的瓦罐里；再杀一条狗，将其血肉放进瓦罐。然后盖上瓦罐，贴上我现在就写给你的符咒。将瓦罐埋入地下，十天后掘出。大概在上千条乌毛虫中，只能有一条吸食了狗的血肉的虫子活下来。

让露子小姐捉来这条乌毛虫，把它饲养起来就行了。这么一来，露子小姐应该再也不会说想饲养虫子之类的话了。

"那，您真的照办了？"晴明问。

"是的，我照办了……"实之厌恶似的撇撇嘴，仿佛忆起了当时的情形，"最后的确有一条通身漆黑、红色斑点的乌毛虫活了下来……"

"那条乌毛虫，就是现在露子姑娘所养的黑丸吧？"

"是的。我特地把它放在蝼蛄男找得到的地方。哎呀，你瞧我干了什么事？就因为我干的好事，女儿被那条虫子迷住了啊……"

"那么，道满大人还有其他说法吗？"

"他说，如果我女儿讨厌虫子了，尽可以弄死或者丢掉……"

"如果她没有讨厌虫子呢？"

"他只是一笑了之，丢下一句'到那时候，可就麻烦啦'。"

"麻烦？"

"他说，不用多久，它就不仅仅吃树叶，还要吃虫子或别的活物呢。"

"他连这个地步也提及了吗？"

"我问道满大人，如果到了这一步，该怎么办才好呢？"

"道满大人怎么说？"

"他说：'你来找我吧，会给你想办法的。'但如果找不到他的话……"

"就去找晴明吧——他是这么说的？"

"一点不错。"实之声音里透出万般无奈，"他说，你去跟晴明说，他会有办法的。"

"真拿他没办法。"

晴明嘴角掠过一丝微笑。

"晴明，会找到法子吧？"

"那就来找个法子吧！"

晴明这么一说，实之总算现出如释重负的表情。

"太感谢了。我已经有一种不祥之感了啊。总觉得露子不知何时会被它吃掉，天天提心吊胆。又不能把这些情况对女儿说……"

实之说不下去了。

"那么，我明天就去露子姑娘那里。"

七

"晴明，你明天要去橘实之大人宅邸拜访？"博雅问晴明。

"不，那样已经不行了。"晴明答道。

"怎么回事？"

"今天晚上就得去了。"

"今晚？"

"对。其实，我是在等你过来呢，博雅。"

"等我？"

"我想让你跟我一起过去。"

"一起去？"

"我想让你看看难得一见的东西。"

"可、可是……"

"怎么啦？"

"为什么约好明天过去，又变成了今晚呢？"

"其实是因为她来过。"

"她来过？"

"对呀。所以，明天就变成今晚了。"

"哎，晴明，究竟是谁来过呀？"

"就是露子姑娘本人嘛……"

"什么？！"博雅的声音一下子变大了。

八

露子是在实之离开之后不久来的。当时晴明正在庭院里摘草药。蜜虫报告有客人。

"有位露子小姐来访。"

蜜虫语气沉静，要言不烦。

"噢——"

说是露子的话，应该是刚才离去的橘实之的女儿了。她究竟为何而来？晴明只有片刻时间想了一想。

"请带她到这里来。"

要弄清楚她为何而来，问她本人更快。

刚消失踪影的蜜虫又重新出现了，身后跟着一位身穿男子便服的姑娘。姑娘身后跟着一名童子，年约八九岁，穿着旧的窄袖便服。

蜜虫走到晴明跟前，通报一声"客人来了"，然后垂首行礼，静静退到一旁。

晴明与那位姑娘面对面而坐。姑娘的大眼睛注视着晴明。

这是一位美丽的姑娘。如果不是事前得知对方是露子，凭她这身男子打扮，一瞬间把她误认作英俊少年也不奇怪。

一头长发梳到头顶，隐藏在黑色礼帽里。眉毛没有拔掉。牙齿也没有染黑。在路上与人擦肩而过，露子这副模样会被人认作男子吧，还是俊俏如女子的美男子……

二人默默地互相打量着，过了足有三四次呼吸那么长的时间。

"庭院漂亮极了……"

这是露子说出口的第一句话。没有涂口红的双唇微启，看得见洁白的牙齿。

露子的大眼睛看着晴明白皙的手指，晴明手里握着刚采摘的草。

"您在采摘车前子吗？"露子说。

车前子——也就是大车前，这种草可以用作利尿药。

"那边长着茴香呢。还有生姜、芍药。那里冒出嫩芽的，是性急的龙胆！"

葳草、忍冬、颠茄……露子接二连三地报出来，都是草药的名字。

"那边是南天。那里长着杏仁。还有山椒呢。哎呀，不得了！这里还长着附子。"

附子——即乌头，其根剧毒，尚未开花即已出芽。看不到花，光凭着幼芽就可以说出它的名字，尤其难能可贵。

"您家里竟有这么一个像原野般的庭院呀！"

露子的目光好不容易才从庭院返回晴明脸上。

"我太喜欢啦——这个院子！"

露子的目光停留在晴明的目光里。

"是露子姑娘吧？"

"是的。"露子点点头。

"是晴明大人？"

"嗯。"晴明点头。

"刚才我父亲来过吧？"

"是的，来过。"

"为了黑丸的事吧？"

"对。"晴明点头，又问露子，"你怎么知道橘实之大人来过这里了？"

"父亲到我那里去，悄悄拿走了绘有黑丸的画，所以我马上就明白他要干什么。"

"……"

"于是，我就让这个蚱蜢麻吕跟踪他。"

"原来如此……"

"父亲求晴明大人做什么，我也能猜到。不过……"

"不过？"

"如果我求您不要理会父亲拜托的事，您会生气吗？"

"我不会生气。"

"不过，您还是照样做被托付的事？"

"我没必要做什么。"

"那么，您打算到我家来吗？"

"是要拜访。"

"毕竟还是要去的。"

"但我不是为了实之大人所托之事而去。"

"那么，晴明大人是为什么呢？"

"为了看一看。"

"看一看？看黑丸？"

"对。"

"要是为了看黑丸的话，为时已晚。"

"为什么？"

"黑丸昨天晚上从牛舍逃走了。"

"逃走了？"

"没错。到早上找到它时……"

"'找到时'？"

"它已从牛犊般大长成牛一般大了，死死缠着院子里的松树，口中吐出白丝，变成蛹啦……"

九

"变成蛹了？"博雅发问了。

"嗯。所以，今天晚上就得去了。"晴明说。

"这是为什么？为什么它变成了蛹，我们就得今天晚上去？"

"因为赤蚕蛊是在变成蛹的当天晚上孵化的。"

"赤蚕蛊？"

"就是道满大人用蛊毒弄出来的黑丸。"

"什么？！"

"所以，我今晚等着你来呢。"

"等我？"

"是的。出发吧。"

"去哪儿？"

"露子姑娘家。"

"那……"

"就到赤蚕蛊孵化的时候啦。这是可遇不可求的啊。"

"……"

"酒已让蜜虫和蜜夜备下了。三只杯子。"

"为什么三只杯子？"

"博雅，叶二带了吗？"

"叶二倒是从不离身。"

"那就好，该出发啦。正是时候。"晴明站了起来。

"喂、喂！晴明……"博雅边站起来边叫晴明。

"怎么啦，不去？"

"不、不是。"

"要去吧？"

"去、去！"

"走吧。"

"走。"

事情就这么定下来了。

十

在地上铺好红色毯子，晴明和博雅坐在上面。

二人跟前放着一个盘子，上面有一个酒瓶和三只杯子。两只杯子已斟满酒，剩下的一只是空的。

月光自中天泻落。二人已饮至微醺。蜜虫和蜜夜坐在一旁，为他们斟酒。

稍微远一点的地方，坐着男子打扮的露子姑娘。她没有戴黑色的礼帽，长发垂到背上。

在地毯前面不远的地方，有一棵古老的松树，它粗壮的树干中段，缠着黑糊糊的东西。

有一头牛般大，是黑丸——即赤蚕蛊的蛹。

"哎，晴明……"博雅抬头望望黑丸的蛹，说道，"它真的会孵化吗？"

"当然会孵化的。"晴明说，"快了。"

"可是，如果它孵化出来，不会有危险吗？"

"啊，这一点可就不清楚了。"

"你不清楚？为什么？"

晴明望一眼露子，说道：

"这就要看露子姑娘的了。"

"看我？"

"晴明，这是怎么回事？"

"那东西可是出自道满大人的蛊毒之法。"

"……"

"孵化出来的，可以说是式神。"

"是式神吗？"

"不，准确地说，还不是式神。但是原先饲养它的人的心思，将决定产生出来的东西。"

"具体说呢？"

"如果露子姑娘怨恨某人，想置之于死地，赤蚕蛊在生成瞬间就会找到那个人，对他作祟。"

"那样的话就太可怕了，晴明……"

"所以嘛，我说过，这全看露子姑娘的心思。"

晴明说到这里，黑暗中传来了嗤笑声，仿佛煮开了什么东西。

"你来啦。"晴明抬起脸。

侧面的瓦顶围墙上有一个站立的人影，影子背后是高远的星空。

影子轻盈地一跃而下，站在地上，缓缓地向这边走来。是个身穿褴褛的公卿便服的老人，衣衫仿佛在泥浆里蒸煮过。头发和胡须不加修饰地胡乱长着，黄色的双眸炯炯有神——正是芦屋道满。

"欢迎光临，道满大人……"晴明说。

"备酒了吗？"

道满大大咧咧地走到毛毯上，坐了下来。

"哟，备好了嘛。"

他伸出右手，拿过空杯子。晴明往他的杯子里斟酒。

道满将杯中酒一仰而尽，说道："好酒。"

"你又寻了场开心吧。"

晴明一边斟上第二杯酒，一边对道满说。

"对。闲极无聊嘛。"

"可是，如果您想要式神的话，要多少您尽可以自己弄啊。"

"晴明，自己弄式神什么的，我早就烦啦。还是别人做出来的能有点意外惊喜的乐趣。"

"于是您就利用了实之大人？"

"噢，正好让他赶上了。"道满第二杯酒下肚，"如果是好使唤的，我就带走，不过得先看看再说。"

道满望望博雅，招呼道："嗨。"

"什么事？"博雅问。

"很想听听你的笛子。"

"笛子？"

"我很喜欢听你吹的笛子，拜托，让我听听吧。"

说完，道满笑了。

博雅从怀中取出叶二。

"怎么样，你也到这边来吧？"道满对露子说。露子询问似的，将目光转向晴明。

晴明点点头，没有开腔。

"好吧。"露子用男人的口吻答道，膝行而前。道满快活地笑起来。

"博雅的杯子空了。您不介意的话，就用他的杯子喝一杯吧。"

"好！"露子拿起酒杯，蜜夜为她斟酒。

露子喝了一口酒，看看晴明，又望望道满。"很好喝呀。"说着，莞尔一笑。

此时，博雅的笛声在月光中缓缓流出。

"太好了……"

道满握杯在手，心荡神驰般闭上双眼。博雅清越的笛声溶入夜气之中。

"喂……"过了好一会儿，侧耳倾听的道满睁开眼睛，说道，"开始啦。"

众人的视线转向老松树那边。

孵化已经开始了。黑兽般缠绕在树干上的东西，背部微微开裂。裂隙发出暗淡微弱的蓝光。那条裂缝正在逐渐扩大。

不久，有某种东西从裂缝中探出头来。

那是一张脸。有蝶眼的人脸……

随后出现的，是翅膀似的东西。

最初，那翅膀看似一团树皮。随着它在朦胧夜色中逐渐现身，翅膀开始在月光下缓缓伸展。

是一只长着人脸、人手和人脚，背上却有巨型翅膀的蝴蝶。翅膀发出朦胧的蓝光，在月光下缓缓伸开，显得安详肃穆，承受着月光。吸收了月光之后，巨翼更显得熠熠生辉。

令人叹为观止的景象。

"嗬……"道满发出惊叹声，"真是太美了……"

博雅边吹笛边观看这一切。

美得令人毛骨悚然。

不久，翼翅在月光下完全伸展开后，蝴蝶翩然飞舞在夜色之中。

"真漂亮……"露子说话了。

"这可不能据为己有啊。"道满嘟囔着。

"露子姑娘……"晴明对露子微笑道，"道满大人把它送给你啦。"

"给我？"

"对。"点头首肯的是道满，"没办法呀。对吧，晴明？"

说着，道满又自嘲似的嘿嘿笑起来。

有着一对发出朦胧磷光的巨翼的蝴蝶，在月光下优雅地飞舞。

博雅仍旧吹着笛子。

呼唤声

一

那是一棵巨大的老樱树。

如果成人站在树下，伸开双臂环抱树干，少说也得三四个人手牵手才行。

藤原伊成坐在这棵樱树下，弹着琵琶。

此刻是夜晚。盛开的樱花在伊成头顶簇拥如伞。

明月高悬。月色如水，映照着巨大的樱树。

周围别无其他樱树。在松树和枫树的围绕中，唯独这棵樱树伸出开满樱花的粗大树枝，显示出唯我独尊的气势。

樱树伸得老远的横枝密簌簌开满了花，花瓣的重量压得枝丫低垂。

没有风，但花瓣依然纷纷散落。

悄然散落的花瓣，仿佛是不堪月光之重。

花瓣落在伊成的肩头、头顶和袖口。伊成似乎在花瓣之中弹奏琵琶。

持拨子的手一动，铮的一声，琵琶琴弦发出动人的音响。

铮铮——铮铮——

琵琶声与月色融汇在一起。琴声在樱花瓣中缭绕，在大气中飞升。

每当琴弦的震颤触抚到一枚枚花瓣，花瓣便离枝落下。

只要琵琶铮铮奏起，花瓣便翩然飞舞。

铮铮。

翩翩飞舞。

铮铮。

翩翩飞舞。

铮铮。

翩翩飞舞。

铮铮，翩翩飞舞；铮铮，翩翩飞舞。

铮铮，翩翩飞舞；铮铮，翩翩飞舞……

是花瓣在迎合着琵琶声，还是琵琶声在迎合着花瓣？

铮铮钦钦的琵琶声与翩翩飞舞的花瓣已经浑不可分。

不久，琵琶声停止了。

琴声一中断，情景就和之前一样，只有樱花瓣在月光中悄然飘落。

伊成闭着眼，仿佛还在追寻消散在周围空间里的琴弦的颤动，也像是在倾听残留在身体内的琵琶余音。

不，对于伊成而言，也许这躯体也好，包裹着自己肉身的大气也好，已成为与琵琶声共振之物，无从区别了。

这时——

"嘀，琵琶演奏得真是美妙啊……"

不知从何处传来一个声音，像是不胜感慨，又像是唏嘘叹息。

伊成睁开闭着的双眼。四下里不见有人影。

明明听见了人的说话声——怎么会没有人？

唯有樱花的花瓣悄无声息地飘落下来。

难道是幻觉吗？就在这么想的时候——

"实在是难得一闻的琵琶音色啊。"

又传来了说话声。

"昨天也来过吧。"

那声音说道。但是，声音的主人依然不见身影。

"琵琶技艺竟精妙到如此地步，一定得请教尊姓大名了。"

那声音又响起。

伊成默不作声，那声音又来相询："敢问尊姓大名？"

被这么一追问，伊成不禁脱口而出："我是藤原伊成。"

"是伊成大人吗？"

"正是。"

"那么，伊成大人……"

"噢？"

"我就先告辞啦。"

"告辞？"

"我要告辞了，改天我会去找您。"

伊成一时语塞，那声音又道：

"告辞啦，伊成大人。我会去找你，可以吗？"

"哦，嗯。"伊成不由应声。

二

庭院里的樱花正当盛开之时。

安倍晴明坐在外廊内，与源博雅饮着酒。周围只有一盏灯火相伴。

穿白色狩衣的晴明倚着一根廊柱，秀气的手拿起酒杯，悠悠地端到了红唇前。

呷酒的双唇总是浮现一丝笑意。是那种若有若无的笑，仿佛菩萨像呈现的那种；是那种轻微的笑，仿佛樱花瓣那种隐隐约约的淡红色。

穿着樱袭的漂亮女子坐在晴明和博雅之间，二人的酒杯一空，她随即端起酒瓶斟满。

今天晚上，是博雅携酒来访晴明。博雅已有好一会儿喝酒赏樱，赏樱叹息了。

"怎么啦，博雅？"晴明问。

"嗯，是与樱花有关的事情呀，晴明……"

博雅将手中的杯子放在木条地板上，望着庭院里的樱花。

庭院里有棵古老的樱树。月光下，可以看见樱花瓣静悄悄地落下。

"樱花怎么啦？"

"就是说，那个……"博雅支支吾吾。

"那个什么？"

"就是说，我看着樱花的时候，不禁深深思索起人的生命，晴明……"

"人的生命吗？"

"就像花瓣离枝一样，人的生命也会像风一样，离开人的身体……"

"……"

"即便没有风，花瓣也会离枝而去……"

"……"

"人的生命，也不会永远停留在这躯体……"

"唔。"

"晴明啊，你也好我也好，终将是零落的樱花。"

"……"

"但正因为是终将凋落的樱花，人才会眷恋这世间吧。正因为了解生命短暂，人才会珍视他人，才会寄情于笛子、琵琶等美妙的音乐。"

博雅端起身着樱袭的女子为之斟满的酒杯，直视着晴明说：

"晴明啊，我能够与你相识相知，实在是三生有幸。"

博雅将杯中酒一饮而尽，双颊微红。

"蜜夜……"晴明避开博雅直视的目光，对穿着樱袭的女子说道，

"博雅的杯子空了。"

名蜜夜的女子会意，又为博雅的酒杯斟满。

"你又逃避啦，晴明。"博雅说。

"逃避？"

"是因为你先问我怎么了，我才正经回答你的。可你现在却想转移话题。"

"嘿，也谈不上逃避什么的。"

"看吧，你就是那样。"

"又有什么事？"

"你刚才笑了。"

"笑就等于逃避？"

"不是吗？"

"你看，你还是用那样的眼神来看我。"

"眼神？"

"博雅呀，不能用那样直通通的目光来看人嘛。"

"这样的眼神让人家不自在？"

"是不自在。"晴明实话实说。

"你总算坦白了。"

"嗯，坦白了。"

"难得老实一回嘛，晴明。"

"我就佩服你。"

"为什么佩服我？"

"我能以方术操控鬼神，但你本身的存在就能驱使鬼神。"

"我？驱使鬼神？"

"对。你是能驱使鬼神的，博雅。"

"我什么时候驱使鬼神了？"

"就是这样。"

"怎样？"

"正因为你对自己的力量无所察觉，所以鬼神也为之动容，博雅。"

"我不明白你在说什么。"

"不明白才好。"

"喂，晴明，你不是又想说那些莫名其妙的咒来蒙我吧？"

"没那回事。"晴明取杯在手，说道，"不如说说要紧事吧。"

"要紧事？"

"你今天晚上是有事来的吧？"

"嗯，有事……"博雅点头承认。

"我看你刚才一直对樱花很在意，莫非事情跟樱花有关？"

"的确不能说跟樱花没有关系。"

"是什么事？"

"其实是藤原伊成大人的事。"博雅说。

"是一个多月之前，在清凉殿演奏琵琶的那位伊成大人吗？"

"正是。他曾和我一起师从已故式部卿宫学习琵琶，算得上冠绝一时的琵琶高手。"

"他怎么了？"

"他这三天来行为举止颇为怪异。"

"怎么个怪法？"

"这得从四天前的事情说起了……"

于是，博雅开始叙述事情的来龙去脉。

三

伊成和藤原兼家一起外出到船冈山，是在四天之前。

据说在京城北面——船冈山的中腹，长着一棵古老的大樱树，此树今年花开得尤其好。

兼家听闻此事，说道："走一趟瞧瞧去，看好成什么样子。"他让人备下酒菜，带着随从前往。

被邀与宴者是伊成。于是伊成带上琵琶出了门。

到了一看，樱花果如传言所说那样艳丽异常，众人便在那繁花之下饮酒诵歌，伊成弹奏琵琶。

弹过一通琵琶之后，伊成吟诵了一首和歌。

春来绕彩霞，群山尽樱花。

一朝飘零落，何惜颜色改。

"《古今和歌集》有这首作者不详的和歌。如果说花开花落、世事无常乃人之命运，那么古人主张春夜秉烛夜游，实在有他的道理。"

伊成征引唐人诗歌，深为叹息。

"樱花这东西，实在是令人牵挂。"据说他这样说过。

四天前，伊成早出晚归，但第二天他又出门而去。

这回是独自一人，而且是晚上出门。

伊成说，无论如何也要夜晚独自一人在那棵樱树下弹琵琶，于是出门而去。希望夜晚在樱树下面弹琵琶这种心情，是可以理解的，可地点也不能没有选择。晚上到那里去，路程算是相当远。旁人来看，事情未免有奇怪的地方。

准确地说，他带了一名仆童前往，但伊成对他说："你在这里等候即可。"

他让仆童在离樱树不远的地方等待，自己抱起琵琶，独自来到樱树旁，坐下。

伊成按自己的心愿在树下弹起了琵琶，早晨与小仆童一起返回家中，但他到家之后，却对家里人说：

"哎呀，发生了不可思议的事情。"

他说弹起琵琶时，有人对他说话。原以为是自己带去的仆童的声音，但看来不是。

看不见人，只有声音传来。结果，未能弄清是谁在说话，他就回家了——

伊成只说了这么几句话，便一头倒下，沉沉睡去。家人觉得他这是弹了一整晚琵琶，几乎没有睡觉，精疲力竭所致吧。

原以为让他尽情地睡，到傍晚总该醒了，但到了傍晚，伊成还是没有起床。到了晚上，他依然没醒。到了深夜，他还是没有醒过来。

把手放在他身上摇晃，也没能把他弄醒。

等家人意识到情况不妙时——

"伊成大人……"

不知从何处传来一个声音。

"我如约前来啦。"

是一个从来没有听见过的声音。无从得知发出这个声音的人在哪里。

"是否可以'山'字相赠？"

话说得没头没脑。

家人正讶异之际，沉睡中的伊成一骨碌爬起来了，在众人的注视下走到外廊内，面对昏暗的庭院开腔说道："来得正好。"

伊成抱着琵琶，在外廊内坐下，开始拨动琴弦。他一边弹琵琶，一边对着夜幕下的庭院说话，仿佛有某个认识的人在那里。

"那样挺惨的吧。"

"什么，想出来吗？"

"想从山里出来？"

"给'山'字？"

在旁听者看来，这些话简直就是自言自语。

就在家人不知所措的时候，琵琶声忽然停止，伊成当即躺倒在廊内，呼呼大睡。

就这样，伊成又接着睡了一晚上，到了早上也没有醒来。

中午过去了，又到了傍晚，又到了深夜，伊成还是没有醒来。因为粒米未进，两天下来，他消瘦得惊人。

夜深了，不知从何处又传来说话声。

"伊成大人……"

"伊成大人……"

听得见声音，却看不见踪影。这时，伊成又一骨碌爬起来。

情况与昨夜无异。伊成又带着琵琶来到外廊内，坐在外廊的木地板上开始弹琵琶，又自言自语起来。

与昨夜不同的，是伊成的视线。他昨夜自言自语时望着较远的地方，此刻则望着稍近的地方。

"你说想离开'山'？"

伊成面对空无一人的庭院说道。

不久，伊成弹完琵琶，便又昏睡过去。在睡眠中，他越来越显消瘦。

连家人也产生了不祥的感觉。

肯定是有什么不好的东西附体了。不采取措施的话，伊成怕会被那不好的东西夺去性命。

"于是，伊成大人家里今天就派了人到我那边，一定要我来找你商量，晴明……"博雅说。

"可是，他被呼唤名字的时候答应了，这可难办啊。"

晴明放下酒杯，低声道。

"呼唤名字？"博雅问。

"即使被呼唤了名字，你不答应的话，这呼唤声等于随风而去了；但若答应了，就结下一种叫作'缘'的咒了。"

"是咒吗？"

"是咒。"

"那该怎么办？可以明天就去伊成家吗？"

"不。"晴明轻轻摇了摇头，"还是今晚去吧。"

"方便吗？"

"没关系。这种事还是尽早为好。我们大概能在那个声音来呼唤伊成前到他家吧。"

"嗯。"

"走吧？"

"好。"

"走！"

"走！"

事情就这样定下来了。

四

琵琶声铮铮。

伊成坐在外廊内弹琵琶。

月色如水，从檐下射入的月光，使伊成的身姿在昏暗中凸显出来。

晴明和博雅躲在屏风背后，观察着伊成的动静。

伊成与此前一样，似正与庭院里看不见的东西对话。

"你说什么？我不明白你说的话。"伊成边弹琵琶边说。

"你说想离开那座山啊。"

"你喜欢那首《古今和歌集》里作者不详的和歌吗？"

"你说'山'字好？"

伊成既像是自言自语，也像是对跟前的某个人说话。

但是博雅遍视庭院，都不见有人的踪影。

默默望着庭院的晴明低声道："原来如此……"

"什么'原来如此'，晴明？你知道了什么吗？"博雅对晴明附耳问道。

"嗯，多少知道一些吧。"

"你知道一些？我可是完全摸不着头脑呢。"

"你这样当然是难免的，因为你看不见那东西嘛。"

"那东西？晴明，你看见什么东西了吗？"

"嗯。"

"看见什么了？"

"就是每天晚上都来伊成大人家的客人的模样。"

"你说'客人'？我什么都看不到。"

"想看吗？"

"我也能看见吗？"

"也行吧。"晴明嘴里应着，伸出左手，说道，"博雅，闭上眼睛。"

博雅一闭上眼睛，晴明便把左手放在他的脸上。拇指按着博雅闭上的左眼，食指和中指按住右眼。

晴明用右手托住博雅后脑，小声地念起咒来。然后，他将双手撤离博雅的头部，悄声道："睁开眼睛！"

博雅缓缓睁开双眼。那双眼睛随即瞪圆了。

"啊……"博雅强咽下这一声惊叹。

"有人……"博雅沙哑着声音说。他目不转睛地注视着眼前的情景。

坐在外廊内的伊成前方——庭院里的树丛中，坐着一个人。是一个身穿蓝色窄袖旧便服的男子，将到未到五十岁的样子。

这男子坐在泥地上，正与伊成交谈。他的额头上有点特别，像是写了字。

"晴明，庭院里的男人，额头上写着什么东西……"

是一个汉字。

"'山'字吧。"博雅自语道。

坐在庭院里的男子的额头上，有毛笔写的一个"山"字。

"博雅，这事说不准会意外地好办呢。"晴明说。

"真的？"

"今天晚上不必做任何事了。暂且由着他。"

"不会出事吗？"

"哦，这一两个晚上不会有什么大不了的事。伊成大人可能会再瘦一点，但性命应该无忧吧。"

"那，我们要做什么呢？"

"明天去见见那位大人。"

"哪位大人？"

"该做什么，也得问过那位大人再说。"

"你说的‘那位大人’是谁？"

"你也见过他的。"

"什么？！"

"是我师父贺茂忠行大人的公子贺茂保宪。"晴明说。

五

第二天，晴明和博雅并排而坐，与贺茂保宪相对。

保宪现任谷仓院别当一职。他父亲是阴阳师贺茂忠行。保宪原先也是供职阴阳寮。他仕途顺利，当上了谷仓院别当。

本来应该是保宪与晴明并排而坐，面对比他们俩官位高的博雅，但这次三人碰头没有考虑这些。

这是在保宪家里。保宪穿一身黑色便服，一副无忧无虑的明朗神情，面对着晴明和博雅。

他左肩头趴着一只小小的黑色动物，盘成一个圆圈在睡觉。

是一只黑猫。但是，它不是普通的猫，而是一只猫又，也就是保宪使用的式神。

三人刚刚寒暄完毕。

"晴明，今天光临寒舍，所为何事呢？"保宪问。

"有一件事想请教……"晴明略低一低头致意。

"什么事？"保宪问。

"近来你可曾施用封山之法？"

"你说'封山之法'？"

"是的。"

"这个嘛……"保宪的视线望向远方，思索了好一会儿。

"我不是说近一两个月。"

"……"

"应该有三四年的时间吧。"

"啊，如果是这样的话……"

"你还记得吗？"

"不至于不记得。"

"是什么时候的事？"

"等一下，晴明……"

"好。"

"我说出来其实也没有太大关系，不过还是想问一句：你们为什么想知道这个呢？"

"据我所知，那封山之法，贺茂忠行大人只传给你我二人而已。"

"是。"

"现在有人使用了封山之法。"

"……"

"师父已仙逝，现今能做此事的仅你我二人。既然我没有使用过……"

"就是我做的，对吗？"

"是的。"晴明点点头。

"的确是我做的。"

"是什么时候呢？"

"早在五年之前了……"

"事情经过究竟是怎样呢？"

"我会说的，但此前你得先谈谈你这次的事情。你说完我再说。"

"好。"晴明点点头，把昨晚从博雅那里听来的事讲了一遍。

"原来说的是那件事啊。这样的话，恐怕真得让我说。"保宪说道。

"那么，回到刚才那件事情上：五年前是怎么回事呢？"

晴明这么一问，保宪答道："不就是那男人的事嘛，晴明……"

"那男人是谁？"发问的是博雅。保宪这才察觉到博雅正好奇地望向他。

"噢，我忘了博雅大人也在啊。"保宪用右手挠挠后脑，苦笑道。

"这是指圣上。"他对博雅说道。

和晴明一样，这保宪也将天皇称为"那男人"。而且是堂而皇之，没有任何不自在。

"晴明，五年前，有人诅咒过圣上。"

"没错。"晴明点头。

博雅对保宪称圣上为"那男人"颇为惊讶，但他没有像听到晴明说时那样予以规劝。他静听保宪的叙述。

"圣上连续三天三夜痛苦不堪，就召我过去了。"

"然后呢？"

"我射出了回头箭。"

"哦？"

"我把白羽箭射向空中，把诅咒打回头。因为那支箭飞向船冈山方向，我追过去一看，结果就追到那棵古樱树所在之处。"

"噢。"

"一个叫海尊法师的阴阳师被我的回头箭射中胸部，倒在那里。他已奄奄一息。我打算趁他未断气前问清情况，便问他是受谁之托……"

"他怎么说？"

"这个阴阳师说，谁也没托他，是他自己要那么干的。当我问他，为什么要诅咒圣上时——"

"他怎么说？"

"他没有回答。"

"哦，没有回答？"

"海尊恨恨地瞪着我，意思是说，他死了也不会放过我吧。"

"那么你……"

"我不怕他作祟，但不想以后跟他纠缠不清，便作法让他不能作祟。"

"于是，你就封山了？"

"没错。我把海尊的遗体埋在了那棵樱树下。"

"这样我就明白了。"

"可是，我并不知道事情发展成那样。"

"请问，保宪大人……"

"噢，什么事？"

"此事可否交给我晴明来处置呢？"

"可以。就由你来处置吧。"保宪点头应允，身体略为前倾，说，"不过，晴明……"

"什么事？"

"请允许我再到府上喝酒。"

"随时欢迎。"

"我喜欢上你那里啦！可以很放松地喝酒。"

保宪满脸微笑。他的肩头上，蜷成一团的猫又睡得正香。

六

来到船冈山的那棵樱树下，已是晚上。樱花花瓣自枝头纷纷扬扬地落下。

博雅和晴明捡来枯枝，在樱树下生起一堆火，又用带来的铁锹在樱树根旁挖掘起来。

火堆旁坐着蜜夜，她将砚台放在地上，正在研墨。

月亮升起来了。

博雅铲了好几锹，开腔道："喂喂，真埋着人呢，晴明……"

"是海尊法师吧。"晴明说。

不久，这具遗体被掘了出来，摆在樱树下。就是博雅在伊成庭院里见过的那个男子。樱花花瓣飘落其上。

"晴明，这事挺不可思议的吧？"博雅说。

"为什么？"晴明问。

"就是这具遗体呀。说是五年前埋下的，可它既没有腐烂，也没有被虫子吃掉。"

"是因为施了封山的咒吧。"

"封山的咒？"

"对。"

"这个说法我已经听过好几次了，究竟是怎么回事？"

"就是它。"晴明指着遗体的额头。那额头上是博雅也见过的汉字"山"。

"凡被施此咒，魂魄极少能脱离躯体游走到外面……"

"……"

"即使死了，魂魄仍被禁锢在肉体之中，不能前往来世，肉身也无法腐烂。"

"但在某种情况下也能逃出来吧？"

"对。如果能跟伊成大人演奏的那样杰出的琵琶声结缘的话，便可以跟随着音乐脱身而出了。"

"于是海尊法师就……"

"……呼唤了伊成大人的姓名，结缘了。"

"但是，为什么是伊成大人呢？"

"是啊……"

"哎，晴明，你已经知道了吧？"

"噢，大体上知道吧。"

"那你就告诉我嘛。"

"不，这事与其由我来说明，不如找个更合适的人。"

"是谁？"

"就是这位海尊法师嘛。"

"什么！"

"加在海尊身上的封山之咒稍后就会解开。这样一来，由海尊法师自己来答复你，岂不更好？"

"……"

"说实话，连我也有不明白的地方呢。"

"喂，喂，晴明……"

晴明转身和蜜夜说话，任由博雅连声唤他。

"蜜夜，准备好了吗？"

"是！"蜜夜略微低头致意，然后递上蘸好了刚磨的墨汁的毛笔。

晴明接过毛笔。

"你这是要做什么，晴明？"

"就是做这个。"

晴明用毛笔在海尊额上的"山"字下面写下另一个"山"字。"山"字变成了"出"字。

"这样就行了。"

就在晴明嘴里小声念咒语时，海尊的遗体缓缓坐了起来。

"晴、晴明……"博雅哑着嗓子低声叫起来。

"不用担心。"晴明说道。

海尊缓缓地睁开眼睛，看看晴明，然后注意到落到身上的樱花，便抬起了头。

"樱花吗……"

海尊喃喃道，声音显得干涸。然后，他把视线慢慢移回晴明身上。

"我看见的是……安倍晴明大人？"

声音像风吹过干枯的树洞。

"是海尊大人吧？"

海尊点头。

"是的，我被施了封山之咒，今世和来世都去不了，被埋在此地整整五年……"

"于是，你听了伊成大人的和歌与琵琶……"

"对。"海尊又静静地点点头。

　　春来绕彩霞，群山尽樱花。
　　一朝飘零落，何惜颜色改。

海尊沙哑的声音念出那首和歌。

"我无论如何也要得到这首和歌里的'山'字，便与那琵琶声结了缘，每天晚上悄悄前往伊成大人家。"

这样一来，海尊额上的"山"字就可以与和歌里的"山"字重叠，成为"出"字。

"原来是这样。"

博雅终于明白似的点点头。

"但是，我还有一件事情不明。"晴明说道。

"请问吧。对于为我解放魂魄的晴明大人，我不会有任何隐瞒。"

"五年前，你为何诅咒圣上？"

"原来是那件事啊。"海尊唇边浮现出一丝笑容，"我想要钱。"

"钱？"

"钱，和欲……"

"欲？"

"诅咒圣上并非出于仇恨。当时，我目空一切。心想，反正我下了咒，也没有人能打回头。安倍晴明、贺茂保宪等名声在外的京城阴阳师都不足惧。在他们一筹莫展之时，我便亲自出马替圣上解开咒语。这一来，便名利双收了……"

"结果却被保宪大人把咒打回头了，是吗？"

"是的。"

海尊点头。

"正因为我很不甘心，说要作祟报复，才落得这个下场。唉，实在惭愧得很……"

海尊望望晴明，深深施礼。

"非常感谢。"

他抬起头说道："这样，我终于可以踏上旅途了。"

樱花纷纷扬扬飘落下来。

"多美的樱花啊……"海尊喃喃着。

"请转述伊成大人，他的琵琶弹得太美了……"

海尊的双唇吐出这句话之后，悄然拢合。

他直直地仰倒下去，变成了仰望樱花的姿态。唇边带着一丝笑意，双眼缓缓闭合。樱花积在这张脸上。

海尊的双唇再也没有动过。

"他终于走了……"博雅喃喃低语。

"嗯。"晴明低低地应了一声。

飞仙

一

两人在浅斟慢酌。

时已过午，阳光仍照着庭院。

庭院一角，有一个沼泽般的水池，好几只蜻蜓在水面上飞舞。

几乎难以察觉蜻蜓的翅膀在扇动，它却能悬停在风中，或左或右地俯冲，捕食小虫。

梅雨结束，已是夏日的阳光。

紫色的菖蒲在水池边开放，叶尖上停着几只蜻蜓。

如果太阳再偏一点，就会凉快许多了，但此刻依然炎热。

这里是位于土御门大路的安倍晴明宅邸，晴明坐在外廊内，与源博雅喝着酒。

晴明一身凉爽的白色狩衣，宽松地包裹着身体。他额上没有一丝汗水，仿佛对炎热浑然不觉。

他的红唇不时触碰右手端起的素白陶杯。沾酒的唇边，总像带着一丝微笑。

"真是不可思议。"

博雅杯刚离口，便望着水池的方向说开了。

"什么事情不可思议？"

晴明只是将视线往博雅身上一转，说道。

"蜻蜓呀，也看不见它的翅膀是怎么动的，却能在风中那样悬停、疾冲。"

的确如博雅所说，蜻蜓时而在风中悬停，紧接着忽然转弯，冲向水面。

"也不知怎么能设计得这么好。自然之妙真是无与伦比啊。"

博雅感佩地点头赞叹。

二人之间放着盛有盐烤香鱼的碟子。千手忠辅送来了从鸭川捕获的香鱼。

因为晴明在黑川主事件中救了忠辅的孙女，所以每年到了时节，忠辅都以香鱼相赠。

晴明把手伸向烤香鱼，一边对博雅说道："是时候了吧？"

"什么时候？"

"博雅呀，你今天到我这里来，不是特地来赞美蜻蜓的吧？"

"对，对。"

"是有事而来吧？"

晴明说完，雪白的牙齿咬了一口手中的香鱼。烤香鱼的香气飘散到风中。

"晴明，是这么一回事……"博雅说。

"不外是坊间盛传的宫中怪事吧？"

"怎么，你已经知道了？"

"四天前的晚上，兼家大人也在清凉殿目睹了怪事，对吧？"

"就是这事，晴明。近来宫中净是发生莫名其妙的事呢。"

"还有酒，慢慢说吧。等谈完也到傍晚了，多少会凉快些。"

"是啊。"

博雅点点头，开始讲述那件怪事。

二

最早听见那个声音的，是藤原成亲。

约十天前——

值夜的晚上，如厕的成亲在返回时，听见有奇怪的声音。

"哟，这可怎么办呀……"

是这样一个声音，沉痛又虚弱至极。

在这样的夜晚，究竟是哪里来的什么人，在说什么"怎么办"呢？

这是藤原成亲从渡殿走向清凉殿时的事。正当他想：咦，这样的深更半夜里，会是谁呢？那声音又传了过来——

"实在是太难办了……"

究竟是什么要怎么办啊，是谁在这么为难呢？

虽然还有其他值夜的人，但不是他们之中任何一人的声音。不知不觉间，他就像被那声音吸引过去似的，脚步朝那个方向迈去。

是紫宸殿的方向。

走在紫宸殿的外廊木地板上时，那声音自上方传来："来者何人？"

声音并非来自紫宸殿内，而是来自外面，且是从上方传来的。大概是屋顶上。有人在这样的时刻，爬到紫宸殿顶上，在那里自言自语。

那高度并不是轻易能攀爬上去的。肯定不是人。

想到可能是鬼的那一瞬间，成亲的身体不由得战栗起来。

他返回值夜的人那里，匆匆报告了这件事，众人随即决定：

"好啊，我们就到紫宸殿看看。"

虽然这次人多势众，但来到通向紫宸殿的渡殿时，众人却止步不前了。因为听说可能是鬼，都害怕起来，脚下不敢挪动了。

众人停在渡殿，成亲从檐下举目望向紫宸殿方向，只见屋顶最高处有个朦胧的影子。

"就是它吧。"成亲说。

"在哪里？"

"啊，真的有啊。"

"会是谁呢，在那屋顶上？"

正当此时，半边明月闪出云端，月光下的影子似是一个人影。似乎有人爬到屋顶最高的地方，蹲在那里不动。

"人怎么会爬到那种地方……"

"所以才说那是鬼嘛！"

就在众说纷纭之时，有人"啊"地叫了起来。原来那个黑影动起来了，沿着屋顶的斜面嗖地滑下来。

当影子滑到屋檐处时，又随着惯性呼地弹向空中。

"哇！"见者无不惊呼。照理那影子要啪地摔落在地面上了，然而摔倒声却不曾响起。那影子就此消失无踪。

从那天晚上起，在宫中听见怪声的人越来越多。

"遍寻不获啊……"

"所有的地方都找过了吗？"

"唉……"

"实在没有办法。"

据说听到的是这样的声音。

又传，有一天晚上，有人在月光之下，看到一个红色的东西在宫殿上空悠然飞舞。

偶然遭遇此事的平直继让人预备了弓箭，弯弓射出一箭。利箭正中那红色的东西，它摇摇晃晃地掉下来。

"咦！"

众人赶过去一看，竟是侍女穿的樱袭红衣。

又有一天晚上，在大内的北面，巡夜的人发现了一个跳着走的人影。这人影"噗、噗"地跳起足有七尺高。

"是谁？！"

当值夜人喝问时，那人影并不回答，而是跳到附近的松树上，攀着枝干消失在树上。

"别让它逃啦！"

值夜人唤醒众人，围住那棵松树。附近无树无屋，地上又有近十人围住，树上的人下树逃走应无可能。

虽然弓箭在手，但正巧月亮隐没在浓云里，树上一片漆黑，甚至无法分辨出树枝、树叶与人影。

就在此时，有石头从上面丢了下来。一块、两块、三块……

不知何故，松树上的人把带在身上的石头扔了过来。

"敢来这一手！"

众人弯弓搭箭，估摸着往树上射去，尽管有箭插在树枝上的声音，但没有命中目标的感觉。

"不要着急。"

照这样一直包围到早上，等天亮了，树上是什么东西也就真相大白了。于是众人通宵等待，到天大亮了一看，树上竟然什么东西都没有。

有人爬到树上去看，只见到昨夜射出的三支箭插在树干上。

树是被十来个人团团围住的，根本没有逃跑的机会。究竟它是怎么逃走的呢？

结果，大家得出结论：那不是人，应该是鬼。按理来说，人是不可能蹦起七尺高的。

而兼家遇到的则是这么回事——

有人夜访兼家，来者是藤原友则。

友则来告：女儿的病情越发沉重了。

三天前，兼家和友则在宫中碰过头。当时谈到了友则女儿的事。

友则的女儿名叫赖子，今年十七岁。

"前不久，赖子就患了疝气。"

据说情况不妙。

"不吃东西，一按肚子周围就很痛苦的样子。"

"那是因为疝气的虫子进去了吧。"

"我也是那么想，便从典药寮取了药让她服下，但完全不见效。"

"噢，我倒是有好药。"

说着，兼家把随身带着的药给了友则。

三天后的晚上，友则来到了兼家的家里。

"怎么样？赖子姑娘的情况有好转吗？"

"唉，她的病情还是完全没有……"

"让她服药了吗？"

"让她服了，但不见好转。"

"没有好转？"

"啊，疝气虫子倒是治住了，但这回又得了别的病。"

"别的什么病？"

"是狂躁之症。"

"狂躁之症？！"

"服用了您的药之后，她好像被什么不好的东西附了体，变得喜欢往高的地方爬。"

"哦？"

"本来光喜欢爬高也不要紧，但赖子却还要从高处往下跳。"

"跳？"

"是的。她从庭院的石头、外廊往下跳时还行，可后来就要从树上往下跳了……"

"啊！"

"我们制止她她还不干。今天嘛，趁我们不注意她就爬上了屋顶，从屋顶上跳了下来。"

"竟然会……"

"落下来时摔着头，昏过去了。"友则不知所措地搓着两只手说，"得到禀告，我急忙赶过去。说实话，现在赖子还躺着不能动。"

他不满的目光望着兼家。

"你的意思是：那是我给的药造成的？"

"我没有那么说。"

"不过，疝气的虫子是治住了……我的药和赖子姑娘的狂躁之症可是两回事啊……"

"一来那是服了您的药之后的事，二来想请您想个法子——我就是为此而来的。"

"我是无能为力了。这样吧，去找药师或阴阳师谈谈吧。"

二人谈到这里，友则只好回家去了。

兼家打算去睡，正从外廊木地板往寝室走，不想遭遇了怪事。

据说他正走着，眼前忽然出现一个黑影，悬吊在屋檐下。

一个成人大小的东西竟然倒挂在屋檐的内侧。

"咦……"

兼家一喊出声，那个影子便在屋檐内侧走动起来。它倒立着，轻盈地走到屋檐前，仍然照旧向空中迈出步子，仿佛摔向夜晚的天空似的，消失无踪了。

到这个地步，兼家这才意识到，自己恐怕是遇上目前宫中议论纷纷的怪物了。

"天啊！"他大叫一声。

"怎么啦？怎么啦？"家人匆匆赶过来。

"遇上怪事啦，有妖怪！"

兼家跌坐在木板地上，手指向屋檐外的天空。

赶来的众人走出庭院，仰望天空，又望望屋顶上面，却什么都没有看见。

三

“哎，博雅，你说是为妖怪的事而来，究竟要我办什么事呢？”晴明问，“难道是兼家大人要我过去吗？”

“不，有事求你的不是兼家大人。”

博雅刚想接着开口，被晴明拦住了话头：“是藤原友则大人吧。”

“正是友则大人。晴明，你怎么知道的？”

“听你说的时候，我已猜出个大概。再说关于友则大人的女儿，我还要做点事情。”

“做什么事？”

“这事稍后再说吧。先听你说。”

“明白了。”博雅点点头，看着晴明，“其实，晴明啊，藤原友则大人是为赖子姑娘的事，请你无论如何也要过去一趟。”

“除了你刚才所说的事，还有其他事吧？”

“对。也都是跟那妖怪有关系的……”

“哦。”

“据说，他也听见动静了。”

“说话声？”

“是的。”

于是，博雅又开始叙述起来。

四

昨夜，藤原友则守在屏风后，不眠不休地看视着赖子的情况。赖子睡眠中的呼吸声传到友则耳朵里。

直到刚才，赖子还一直闹个不休。疲乏终于让她坠入深度睡眠之中。

这几天，赖子的病情出现了变化。她不但爱从高处跃下，还不住地诉说身体好痒。

"有虫子啊。"

赖子第一次提及虫子，是三天前的事。

"有虫子爬过我的身体！"

她边说边抓挠着身体。

"好痒。"

她用指甲猛抓自己的皮肤。怎么挠都止不了痒，指甲划得沙沙响，都要抠进肉里去了。

"好痒好痒。"

"好痒好痒。"

她不是抓某个特定的地方，而是全身——她挠遍了整个身体，而且是像抠皮挖肉似的挠。

手臂、胸脯、腿、脚、面颊、头部——所有的地方都要挠。

"虫子好痒！"

赖子疯狂地抓挠。皮肤上遍布搔出的血道子，抓脱了皮，在脱皮处再挠，结果便是皮开血出。

"好痛啊。"

刚叫疼，紧接着又去挠同一个地方，边挠边喊："好痒啊！"

赖子整个身体红肿起来，好几处还化脓了。但即便化脓了，也不能停手不挠。终于抓挠得皮破血流，全身污迹斑斑。

她还要伺机从高处往下跳。

从高处往下跳和搔痒——跟这两件无关之事，赖子提都不提。就这样折腾了一整天，疲惫不堪的赖子终于沉沉睡去。

在她醒着的时候，家里人一直悬着心，只有在她入睡之后，家里人才得以稍事休息。但是不知何时她会忽然醒来，要去爬高搔痒什么的，所以即便在她睡着的时候，也得有人陪在身边。

那天晚上，友则一直陪着赖子。深夜，正当友则开始打瞌睡时，赖子忽然喊一声"好痒"，一骨碌爬了起来。

友则惊醒，连忙绕过屏风，按住赖子的身体。他不想再眼看着赖子虐待自己。

"干什么？放开我！"

赖子暴怒起来。她力气大得难以置信，实在按压不住。

"赖子，你要挺住呀。赖子……"

就在友则跟自己拼命挣扎的女儿纠缠不休的时候，不知何处传来了一个声音。

"友则大人……"那声音唤道。

"友则大人……"

友则好不容易控制住赖子的身体，把头转过去。然而，看不见任何发出声音的东西。

"赖子姑娘的病，靠药师治不好。"那声音又说。

"那、那谁能治好？"友则情不自禁地问那个声音。

"这个嘛……"那声音停顿了一下，好像思考了片刻，说道，"这应该是阴阳师的工作吧。"

"阴阳师？"

"安倍晴明大人能治好吧。"

"晴明大人……"

"除了晴明大人之外，无人能治好赖子的病。请晴明大人过府来看病，不就行了吗？"

那声音就此消失了。

"喂！"

据说友则一再呼唤，但始终没有回音。

五

"这是昨天晚上的事。"

博雅对晴明说。

"今天早上,友则大人来我家找我商量,恳求你到他家里去一趟。"

"原来是这么回事。"

"不可思议的是,那些话究竟是什么人跟他说的呢?"

"大家都觉得,那声音跟引起宫中骚动的怪事可以归结为同一回事吧?"

"你真厉害,晴明!就是那么回事。因为这一点我才过来的。"博雅说。

"这就是说,这事情发生了一些变化。"

"变化?"

"我是说那妖物。最初在宫中出现时,自言自语'太难办了';到了友则大人家里,或在赖子姑娘处出现时,甚至提到我的名字。"

"晴明,你和这事有什么关联吗?"

"说有也是有的……"

"怎么回事?"

"其实,那妖物也到我这里来了。"

"也到你这里来了?"

"对。"

"你刚才提到有所关联,就是说的这件事?"

"没错。"

"发生了什么事?"

"我也听到声音啦。"

"什么时候?"

"昨天晚上。"

"可是，妖物到赖子姑娘处，也是昨晚呢。"

"从谈话的内容来看，似乎那妖物是先到赖子姑娘处，再来我这里的。"

"谈话？"

"没错。"晴明点点头。

昨晚，晴明坐在外廊内独自饮酒，蜜虫在旁把盏。到酒瓶空了一半的时候——

"有动静了。"晴明对博雅说。

"动静？"

"很奇特的动静。像人又不是人。一半是人，另一半则非人……"

"是什么？"

"那就不清楚了。硬要我说的话，似乎是式神的动静。"

"式神？"

那动静是从庭院那边传过来的，但不是沿着地面，而是从空中传来。抬头望去，见庭院松树最高处的树梢上，似乎挂着一个黑影，在风的吹拂下晃悠。

"什么人？"晴明沉着地问道。

这时候，那随风晃动的东西回答道：

"我是近来宫中盛传的妖物，您可能也听说了吧。"

是人的声音。那影子的确也是一个人，他右手抓着树梢，双腿随着风吹的方向伸展，让身体与地面平行，承受着风力。

"有何贵干？"晴明手拿酒杯问道。

"此次前来，是有事请求阴阳师安倍晴明大人。"

影子的衣裾随风吹向脚尖，在那里摆动。

"有什么事要我办？"

"明天，参议藤原友则大人因为女儿赖子姑娘的病，可能派人前来求助晴明大人。"

"是吗？"

"请以晴明大人之力治愈赖子姑娘的病。"

"治病？"

"她的病有别于普通的疾患。"

"有何分别？"

"赖子姑娘的病，从根子上说是因我而得。"

"噢，是这样。"

"因此，请无论如何也要治病救人。"

"你来治不行吗？"

"不行。"影子摇着头，"那姑娘服了天足丸。"

"什么？！"

"我这么一说，晴明大人就明白了吧。"

"明白是明白了……"

"那么，这事情就拜托了……"

晴明还想接着说，那影子点点头，松开了抓住树梢的手。

影子依然横卧着身体，飘然随风而去。就仿佛眼看着挂在河边竹竿上的衣裳，自然松脱后，顺水漂走了。

"拜托了……"影子被风吹着渐渐远去。

"千万千万……"声音飘过，影子已溶入夜色之中，看不见了。

"就是这样，昨晚有这么一回事。"

"原来是这样。"

"还以为今天谁要来呢。博雅，原来是你呀。"

"他说是天足丸？"

"对。"

"那究竟是什么东西？"

"仙丹嘛。"

"仙丹？"

"稍后再告诉你。你看，太阳也快下山了。"

晴明说得一点不错。刚才仍照射着庭院的太阳，已隐入空中。

"噢。"

"博雅，我有一事相求。"

"什么事？"

"请你去兼家大人处，问他送给友则大人的药是从哪里弄到的，可以吗？"

"应该没什么问题。这就是说……"

"晚上我们在赖子姑娘那里碰头吧。兼家大人的回话，到那时再告诉我就行。"

"那么，晴明，你是答应去了？"

"去。"

"真的吗？"

"嗯。"

"走吧。"

"走。"

事情就这样定下来了。

六

"好痒好痒。"

"好痒好痒。"

原先边嚷边扭动着身体的赖子，用白开水服下晴明带来的药之后，随即安安静静地入睡了。

在沉睡的赖子周围，坐着晴明、博雅以及友则。在唯一一盏灯火的映照下，友则眉间的皱纹越发显得深。

晴明跟前预备了砚台和毛笔。

"现在要给她脱衣服了，可以吗？"晴明说。

"全部脱掉吗……"

友则的声音显得干涩。

"是的。就像刚才我所说的那样。"

友则看看晴明，然后又看看博雅。博雅默不作声。友则额头上渗出无数小汗珠。

晴明没有催促友则回答，也没有再提问题，他双唇紧闭，静候友则发话。友则点一点头，说道："明白了。"

与其说是下了决心，倒不如说是无法忍耐压抑的沉默。

"这事情就全仰仗你了……"友则的声音微微颤抖。

"那好。"晴明垂下视线，略低一低头致意，然后又睁开眼睛。即便在这种时刻，他紧闭的双唇依然带着一丝若有若无的恬静笑容。

晴明把手伸向赖子的衣服，利索地将衣衫脱下。

"啊！"友则强抑着声音，从喉间发出惊呼。

赖子身上没有一处完好的皮肤。到处都有抓挠的伤痕，甚至有皮开肉绽的地方。可以想象，若让她的身体翻过来，恐怕从后背到臀部也都是这个样子。

"开始吧。"

晴明低声说道，随即取笔在手，饱蘸墨汁。

他先用毛笔在赖子左脚的小趾上写字。与此同时，嘴里喃喃地念起了咒。

写好小脚趾，接着一个脚趾一个脚趾写下去。然后是脚板、脚弓、脚后跟、趾甲、脚踝……他不断地书写着细小的咒文。

写完左脚腕，接着写右脚腕。腹部、乳房、右手、颈部、脸面……连耳朵、嘴唇、眼睑等处都写上了字。

把赖子的身体翻转过来，后背和臀部也都写了字。再将赖子的身体翻回仰躺的姿势，她的皮肤上几乎毫无遗漏地写满了咒语文字。只有左臂没有写。

"写的是什么……"友则颤声问晴明。

"是孔雀明王之咒。"晴明的声音一如往常。

"那不是密宗的真言吗？"

"只要有效，什么都不妨用。没有规定说阴阳师使用密宗真言不好。"

孔雀明王原是天竺之神。啄食毒蛇和毒虫的孔雀，变成了佛教的守护神。

"来吧。"

晴明右掌按在赖子腹部，然后左手握拳，食指和中指并拢伸出，将这两根指头抵着自己的下唇，开始轻声念动孔雀明王咒。

于是，仿佛对晴明的咒语作出回应，赖子的肌肤表面沙沙作响着蠕动起来。

"咕嘟、咕嘟——"

腹部和胸部的肌肤到处一鼓一突。

"噗噗——"

面部和右手、双腿的表面也都鼓突起来。看上去简直就像大大小小的虫子在肌肤下面蠢动。

"啊……"博雅发出低吟似的声音。

蠢动逐渐移聚到赖子没有写任何东西的左臂上。左臂眼看着变得粗大。所有在赖子体内爬动的东西都集中过去，那儿变得比大腿还粗，有虫子似的东西在里头蠢动不已。

"好了！"

晴明低声说着，用纸捻将赖子左臂连肩绑扎好，然后又取笔在手，在蠢动得厉害的左小臂上写下"集"字。

晴明再次以左手食指和中指并拢抵住下唇，右手握住赖子的左手，念动孔雀明王之咒。于是，那些鼓突的东西开始集中到小臂，小臂一带变成黑色。

终于，蠕动的东西都以晴明所写的"集"字为中心集合完毕。这个位置仿佛变成了紫黑色的大水泡，大小足有一个大甜瓜那么大。

"啊！"友则惊呼出声。

晴明停止念咒，说道："应该是这里了。"

他从怀中取出短刀，除下刀鞘，在写着"集"字的皮肤上嚓地切开。

从裂开的切口处，呈现出令人毛骨悚然的东西。是不计其数的虫子。

有黑色蜈蚣似的虫子，也有长着蝴蝶翅膀的虫子。

有似蛾而非蛾的虫子。有甲虫似的虫子。

有头部像蛇、身子像麻雀似的虫子。

有苍蝇似的虫子。有蜻蜓似的虫子。

有蝉似的虫子。

无数奇形怪状的虫子从切口处蠕动着爬出来，随即腾空飞起来，从开着的板窗飞到外面，消失无踪。

不久，赖子的小臂回复到原先的大小。小臂上仍留着晴明切开的伤口，渗出一点血水，但伤口比原先小得多。

晴明给赖子遮上刚才脱下的衣服，淡淡地道："这样就行了。"

"解、解决了吗？"友则问道。

"解决了。"晴明微笑道，"最好还是不要把刚才这里发生的事情告诉赖子姑娘。如果被问到，请答以晴明已施治、已无须担心即可。"

"这样就好了吗？"

"是的。伤口马上会痊愈的……"

"是、是吗？"

"那么，我和博雅大人就告辞了。"

"这就要走了吗？"

"我们还有另外一件事情没有做完……"

晴明说着，站了起来。

七

牛车等候在门外。上车之前,晴明扭头向后,对着大门上方开了腔:"这样可以了吗,妖物大人?"

于是,昏暗的大门上方传来一个声音:"非常满意。不愧是晴明大人……"

"若有空暇,今晚不妨来寒舍小聚……"晴明对大门上方说道。

"蒙您邀请,实在荣幸。"

"酒已备下,薄酌一杯怎么样?"

"那可是求之不得。"

"请务必赏光。"

"凑巧南风徐徐吹来,我去捡些石子,稍后见吧。"

"好,稍后见。"

晴明说完,与博雅一起钻进牛车。

八

晴明和博雅对饮。

蜜夜坐在二人之间,等二人的酒杯一空,随即为之斟酒。

"这么不可思议的事,真是让我大开眼界啦!"博雅说。

"你是说那些虫子?"晴明问。

"那些究竟是什么东西?"

"是天足丸的——唉,说来就是精灵那样的东西吧。"

"对了,还没听你说天足丸呢。那究竟是什么?"

"应该说是仙丹。"

"仙丹?"

"就是药啦。"

"药？"

"是想成仙的人服用的药。"

"成仙？"

"据说自古以来，人有种种成仙的方法。"晴明说。

成仙——即长生不老、游于天界，是来自中国古老文化的人类梦想。方法多种多样。多数主张通过修行来达到。传说有的是通过呼吸，汲取天地灵气于体内，由此而成仙。有些是通过行为，比如辟谷等调整食物的办法，从而成仙。

还有得道成仙的方法。每种方法都不简单。有的要花数年、数十年，有时甚至是一生都不能达到目的。

最轻松的无须修行即可成仙的方法，就是服药。服用一种名为"丹"的药。"丹"即水银。

水银虽然是金属，却是液态的东西，镀金时是必须使用的。人们认为这种"丹"有奇效，可使人长生不老。

其中最为上品者，是被称为"金丹"的仙药。据说任何人服下金丹均可马上成仙，只是金丹的制作并不简单。

金丹也有许多种类。丹华、神丹、神符、还丹、饵丹、炼丹、柔丹、伏丹、寒丹——总计九种。

其中，制作"丹华"时，据说须先制备玄黄。在玄黄中加入雄黄水、明矾、戎盐、卤盐、砷石、牡蛎、赤石脂、滑石、胡粉等各数十斤合煮，成"六十一泥"，置火中烧三十六日，即炼制成丹。

然而，究竟是什么材料，尚有许多不明之处。

首先，玄黄到底为何物，我们不得而知。至今还不明白是什么的材料太多了，也不知道可以到哪里去找，更不知道各种材料的用量。

总而言之，造出"丹"再加上玄膏捏成丸子，置于猛火之中，即可获得称为"丹华"的金丹。如果没有成功，就是某个方面出了差错，只能反复去做。

其实，花一生时间大概也成不了事。

据说，将蛇骨、麝香、猿脑、牛黄、珍珠粉等无数种草药混合，加热熬制，也可制成仙丹。

"所谓天足丸，即是仙丹的一种，与其说是服用后成仙，其实只是能在空中飞行而已。"晴明说。

"所以称为天足丸嘛。"

博雅点了点头。

"天足丸没有使用所谓的'丹'。"

"是怎么制作的？"

"听说首先要预备五芝。"

"五芝？"

"石芝、木芝、草芝、肉芝、菌芝……"

"其他呢？"

"鸟、雀、蛾、蝶、蜻蜓、甲虫、羽虫、蚊、蝇——只要是能在空中飞的就行。"

"需要多少只？"

"每种一两百只的样子吧。"

"……"

"将成千上万只飞虫活生生地塞进大瓦缸里熬煮。"

"煮多长时间？"

"这个嘛……"

"要多长时间？"

"一直煮到所有虫子都黏糊糊的，失去原先的样子为止。"

"也就是说，骨头、翅膀、牙齿——所有一切都分不清？"

"就是要煮到什么都分不清的状态。"

"究竟需要熬多长时间，我可想象不出来。"

"就连我也想象不到。"

"总而言之，那样就熬成天足丸啦？"

"还不行。"

"还不行？"

"所成之物百日后喂鸟，再百日后杀死该鸟，取其肝脏，与刚才说的五芝——"

"够啦够啦。总之，意思就是说，光是制作天足丸便须历尽千辛万苦吧。"

"嘿，这天足丸算是其中容易制的啦。"

"对我来说就是千辛万苦啦。不过，现在的事情跟那些天足丸有什么关系？"

"所谓天足丸，简言之，就是萃取所杀生物之精华的方法。炼制一次能得到的，最终只是一两丸而已……"

"生物之精华？"

"那些'精华'留在服用了天足丸的赖子姑娘体内，刚刚才走掉。"

"噢。"

"该你说啦，博雅。你了解的情况怎么样？"

"我了解的情况？"

"就是让你去向兼家大人询问的事呀。"

"这个倒是弄清楚了。"

"他是怎么得到的？"

"他说是约一个月前在清凉殿前捡到的。"

"捡的？"

"从渡殿走去清凉殿的途中，偶然看见地上丢着一个布袋。"

"布袋？"

"据说是这么大的一个布袋。"

博雅放下酒杯，两手比画了一个成年人拳头大小的圆圈。

"他说他当时很是在意那个布袋，便支开其他人，把它捡起来了。"

布袋里约有十颗药丸，不知是谁掉的。他问过好几个人，他们都说不知道是谁的。

　　大约过了七天之后，兼家闹肚子，看来是吃坏了肚子，腹痛，老是跑厕所。这时，他想起了捡到的布袋和药丸。

　　打开布袋取出一两颗丸药来看，丸药发出难以言喻的诱人气味。嗅着这种气味，似乎连自己的腹痛也忘记了，把持不住的拉肚子好像也好了。

　　担心它可能有毒，为保险起见，便在木桶里放了水，放进一条活的香鱼，再丢下一颗药丸试试看。

　　鱼没有死。看上去它在木桶里游得更欢了。

　　兼家由此下了决心，将丸药和水吞下。

　　"说是把病治好啦。"博雅说。

　　不到半刻工夫，腹部不痛了，控制不住的拉肚子也好了。

　　"从那以后，每逢有个头疼脑热什么的，他就会吃上一丸。"

　　每次都是药到病除。

　　"这时，他听藤原友则说了赖子姑娘的情况，便给了他一颗药丸。"

　　"就是那颗天足丸了吧。"

　　"可是，晴明，如果说那就是天足丸，为什么兼家大人不能飞到空中？为什么赖子姑娘会变得狂躁，而兼家大人不会？"

　　"这件事嘛，博雅，你不妨问他本人最好。"

　　"问他本人？"

　　"妖物大人，您已经到了吧？"

　　晴明对着黑夜里的庭院扬声道。

　　"来了。"

　　一个声音回答。望向庭院，只见水池上立着一个小小的人影。

　　"啊！"

　　博雅发出惊叹是可以理解的，因为那小小的人影是赤脚站在水面上。借月光仔细打量，那是一个猿猴般瘦小的秃头老者，只有髭须又白又长。身上穿一件褴褛的衣服，只在腰间束了一条带子。

老者哗啦哗啦地踏水而来。每踏一步，水面就荡开一圈美丽的波纹。

不一会儿，老者的赤脚踏到了草地上。他走到晴明和博雅坐的外廊前，站住了。

"承蒙关照啦。"

他一笑，满是皱纹的脸埋入了更深的皱纹中。

"是你掉了天足丸吧？"

晴明这么一问，老者下巴一扬，点了点头。

"没错。"

"你究竟是何方人士？"

"我原不打算谈自己的来历，但这回晴明大人帮了大忙，就老实说说吧。"

老者望望晴明，又看看博雅，接着说道：

"我很久以前出生于大和国，人称'打竿仙人'……"

"噢。"

"从年轻时起，我就对仙道深感兴趣，整天不干活儿，专事仙道的修行，例如食松树叶、练导引之术等。"

在老者说话之时，蜜夜已预备了另一只酒杯，斟上酒，放在外廊边上。

"太好啦，太好啦……"

老者取杯在手，一饮而尽，满是皱纹的双唇抿得紧紧的，一滴酒也没有浪费。

"哎呀，甘露啊……"

老者眯着眼睛说道。

"可是，也许是天生没有仙骨吧，尽管我修行三十年，也并没有得到多少效验。"

"然后呢？"

"我想，即便不能长生不老，至少得像久米仙人①一样，能够在空中飞行。于是我花了十年工夫炼制仙丹。"

"那就是天足丸了吧。"

"金丹之类是我力所不能及的。说实话，即便是天足丸，也做得并不高明。服食后虽然总算能飘在空中了，但也就是升到七八尺至十五尺的高度。而且只能飘起来，不能飞行。"

老者表情复杂地叹息。

"我总算可以飘在空中随风而去，但飞不起来。当我悬在空中时，小孩子便会拿着竹竿赶来，从下面打我取乐，所以，不知不觉我就被称作'打竿仙人'了。"

老者凄然一笑。

"大约二十年前，我离开大和国，四处流浪。白天像常人一样在地上走，晚上就避人耳目悬浮在空中。约一个月前，我来到京城，晚上被风吹到大内上空时，把装着药和天足丸的布袋丢了。事后察觉时，再去找却无论如何也找不到了。我想，肯定是被人捡走了，便潜入宫中到处寻找……"

"结果被许多人看见了吧？"

"是的。有一次有人来了，我慌忙避到空中，脚上却勾住了女人的红色衣裳，结果红衣也跟着我一起升到半空。为了这件事，弄得被人从下射箭。"

"那么，天足丸的事呢？"

"对。我终于知道是被兼家大人捡到了，正要去取回时，已经……"

"为赖子姑娘的病，兼家大人已把天足丸给了友则大人，对吗？"

"正是。其实，那个布袋里装的天足丸只有一颗，其他的都是治

---

①小说家武者小路实笃所述，传说久米仙人入山苦修成道。一日腾云游经某地，见一浣纱女，足胫甚白。不由目眩神驰，凡念顿生，飘忽之间，已自云头跌下。

病良药，从表面看区别不出哪颗是天足丸。"

"结果，这唯一的一颗恰恰被赖子姑娘吃掉了？"

"那颗天足丸只对我有效。因为它全是用雄虫混合我自己的男精制成，所以当女方服用时，就要出大问题。"

"所以赖子姑娘便成了那样……"

"是的。她要从高处往下跳，也是受雄虫的影响吧。"

"但是，为什么你不自己出手，把附在赖子姑娘身上的虫子弄掉？"

晴明这么一问，老者寂然一笑，说：

"我这副模样上门去，说是给人家治病，让姑娘脱去衣服……人家会照办吗？"

"应该不会吧。"

"这一点我很明白。再说，我除了会飘浮在空中，别无他能。所以只能仰仗晴明大人了。"

"原来如此……"

"这回三番五次的，实在是太麻烦您了。"

老者说着，将酒杯咚的一声放在外廊边上。他伸手入怀，取出小石子，丢在自己脚下。

老者的身体摇晃起来。他又伸手入怀，取出第二块石头，丢在脚下。他瘦小的身体离地约有三寸高了。

接二连三地从怀中取出石子丢下，老者的身体飘向空中。

"这是最后一块……"

把那块石头丢下时，老者的身体已经飘到屋顶那么高了。

摇摇晃晃着，他开始被风吹走，在月色下随风飘向北方。

晴明和博雅从檐下遥望着老者。

"真是好酒……"

老者的声音隐约传来。

"尽管这种活法未免寂寞，但还是很有乐趣的……"

最后，传来了这样的声音。

不久，老者的身影融在月光里，无影无踪了。

"终于走啦。"博雅手拿着杯子，小声喃喃道。

"唔……"晴明点点头。

外廊边上，老者放下的空酒杯在月光下泛着蓝蓝的光。

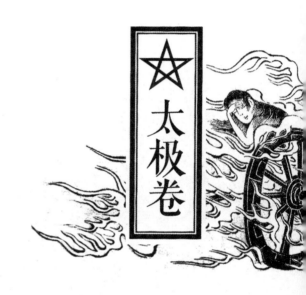

太极卷

二百六十二只黄金虫

一

红叶在阳光下亮晃晃。下午的光线，正缓慢地回归天际。

刚才还照耀着整个庭院的阳光，此刻只照到长得高的草叶上。西面院墙的影子，已经延伸到红叶的树根处。

一丛丛开着黄花的黄花龙芽，在西斜的光线之中探出头来。

秋日闲适地步入暮色。

"好自在的一天哪。"发出这一声感叹的是源博雅。博雅坐在外廊的木条地板上，视线投向庭院。

这里是安倍晴明的宅邸。晴明支着一条腿，坐在博雅跟前。他背靠一根柱子，眼睛半张半闭，醉酒似的倾听着博雅的声音。

晴明白皙修长的右手上，举着还有半杯酒的杯子。

"晴明啊，瞧，草呀树呀风呀阳光呀，不正奏响一曲自然的音乐吗？"

博雅手中的酒杯，已经空了。他刚才便已饮尽杯中酒，还没有把杯子放回木条地板上。

"这一整天，我就像把自己的身体浸润在大自然的音乐中了。"

博雅仰望着檐外的蓝天。

蓝天上布满秋光。天高云淡，风声瑟瑟，仿佛笛声悠扬。

晴明没有回答。在他听来，似乎连博雅嘴里吐出的声音和言语，都成了自然的乐音。

博雅上午就到晴明家来了。

"好一个秋高气爽的日子啊。"博雅说着，望望晴明，带着腼腆的微笑说，"不由自主的，就想来看看你啦。"

然后，两人没做什么事，就那样你一句我一句地说着话，坐在外廊内，一整天都眺望着秋天的庭院。有时将近半刻工夫，两人都一言不发。

对晴明和博雅来说，长久的沉默并不为苦。

博雅给自己的空杯斟满酒，也给晴明的空杯斟上，随意地喝着酒。

蜜虫、蜜夜都不在场。只有两个人。当酒瓶里没有酒时，蜜虫便悄然而至，将酒瓶加满。

博雅让自己乘坐的牛车回去了。

回去时，晴明会让他的牛车送自己吧。没有牛车也没什么，走路回家也好。有时也会走路来晴明家，再走路回家去。

不算什么稀奇事。这个家伙会满不在乎地做这样的事，跟他的身份不那么相称。

"哎，晴明——"博雅对晴明开了腔，好像想起了什么事情。

"什么事，博雅？"晴明应一声，双眼半睁半闭。

"你还没有听说惠增上人的事吗？"

"你说的是醍醐寺的惠增和尚？"

"嗯。"

"他的什么事？"

"就是约十天前，上人自己跟皇上说的事呀。因为那件事的确很奇特，所以皇上就跟近旁人说了，都传到了我们耳中。"

"噢，就是《法华经》里有那么两个字，怎么也背不下来吧——"

"哟，已经传到你这里了嘛。"

"那是怎么回事？"

"咳，世界之大，无奇不有吧。但仔细想想的话，也是'不过如此，可以接受'的事情。眺望着这个院子时，我忽然想起了那件事。"

博雅提到的事，这几天，宫里人整天挂在嘴边。是这么回事——

位于伏见的惠增上人，自年轻时起，就是被誉为"才华出众"的才子。《仁王经》、《涅槃经》不大费事便能默记在心，轻轻松松地背诵出来，比人家朗读还快。

但是，接下来要背诵《法华经》，就不顺利了。

《法华经》是大部头经典，要把它全背下来肯定很难，但实际上，惠增几乎全部记住了。只有两个字，怎么也记不住。

那是《方便品》中的"比丘偈"里的"瞻仰"二字。

相视怀犹豫，瞻仰两足尊

所谓"两足尊"，就是指佛。仰望佛祖，便是"瞻仰"。

"瞻仰"这两个字，他读来读去，就是记不住。

一次又一次地反复朗读、默记，心想该记住了，但一合上佛经，又想不起那两个字是什么了。这是怎么回事？

如果说是脑子不好、背不下来的话，《仁王经》、《涅槃经》应该也背不下来。即便是《法华经》，除了这两个字，其他的也全都背下来了。究竟是什么原因，使自己记不住这两个字呢？

为了弄清原因，惠增在长谷寺七天足不出户，作了这样的祈祷：

"大慈大悲观世音，求您让我记住这两个字吧。"

于是，在第七天的黎明时分，一位老僧出现在惠增的梦境中。

老僧告诉惠增，自己是观世音菩萨的使者。

"我来帮你背下那两个字吧。"他这样说道，"我先告诉你，你记不住那两个字，是因为前世的因缘。"

"原来是前世有因啊。"

"你前世是播磨国贺古郡大愿寺的僧人。有一次，你向着火诵读《法华经》第一卷，当时火中蹦出两颗火星，落在你手中的《法华经》上，烧掉了两个字，就是'瞻仰'。你还没有补写上烧掉的两个字，便离开了人世。那部《法华经》尚在寺中。你到那座寺庙去，拜过那部经，再补写上烧掉的两个字。这样一来，应该就能记住了吧。"

老僧说到这里，惠增便醒过来了。

第二天，惠增便整装出发，前往播磨国的大愿寺。

惠增对寺里说明了原因，请求翻阅经藏。他果然在《法华经》第一卷里发现有个地方烧掉了那两个字。当惠增在上面贴上新纸，补写上"瞻仰"二字时，《法华经》便霍然成诵。

惠增对皇上说的，就是这样一件事。

二

"本人全不知情，原来也会生出如此的因缘——冥冥之中，真有一种玄妙而不可思议的力量。"博雅把空了的杯子放回木条地板上，说道。

"是咒吧。"晴明低低地嘟囔。他半开半闭的眼睛依然眺望着庭院。

"你说是'咒'？"

"嗯。"

"你——又想把事情弄复杂吗……"

"哪里的话。"

"你是这么想的。哎，晴明，每次我好像要弄清楚什么事了，你就提到'咒'，不是成心要把事情弄复杂吗？"

"我没那份心思。人活着嘛，总会给别的东西下咒，或者被别的东西下咒啊。"

"……"

"明白吗，博雅？"晴明的目光转向博雅。

"明、明白什么？"

"你吃饭时要用筷子吧？"

"对、对呀。"

"你呢，已经在下咒了——"

"你说什么呀，我一点也不懂。"

"举例说吧，筷子是什么？"

"是什、什么……"

"所谓筷子，从根源上说，不就是小木棍吗？对于狗呀牛呀来说，筷子就是小木棍嘛。但是，一旦人拿着这种小木棍吃饭，它就不再单纯地是小木棍，就变成了筷子。"

"不、不……"

"也就是说，你每天吃饭时，就对木棍下了'筷子'的咒。"

"那又怎么样呢？"

"不怎么样呀。"

"什么？"

"不怎么样，所以才不得了。"

"你这话的意思，也就是说我们要过桥，就是对一些木头下了'桥'的咒；我们住在房子里，就是对一堆木头下了'家'的咒，是吗？"

"就是那么回事。"

"也就是说，那么……"博雅结结巴巴地寻找着字眼。

"那不是理所当然的吗？"博雅终于说出来了。

"就是这样的呀，博雅。我们理所当然就生存在咒中间嘛。"

"什……"

"即使同样下了'碗'的咒，是一般人用过的碗，还是心爱的人用过的碗，这咒又有所不同。记不住经典里的文字这件事，如果追根溯源，也在咒的道理之中。"

"晴明，你不是在骗我吧？"

"没那回事。"

"算了吧，你骗我了。我刚才还觉得若有所悟，可现在又糊涂了。"

"真是不好意思。"

晴明微笑着，望着博雅。

"就算你道歉，我还是不高兴。"

"别生气嘛，博雅。"

晴明把举在指间的酒杯放在木条地板上，说：

"客人好像到了。"

三

有人绕过屋子，慢吞吞地来到庭院。

是一个身穿绿色直衣、胖墩墩的男子。

他长着一双大田螺似的恶狠狠的眼睛。塌鼻，没有嘴唇。腰弓向前，仿佛要四肢着地一样。没有耳朵。

那男子用双膝和双手分开黄花龙芽丛，进入庭院，就止步不前了。

"吞天——"

晴明向站立在黄花龙芽丛中的男子打招呼。

"没关系的，让他们到院里来吧。"

应该听见了晴明的话吧。被叫作"吞天"的男子，像领首似的稍微低下头，缓慢地转过身，以来时的速度慢吞吞地消失了身影。

"那是吞天？"博雅问道。

"就是栖身于广泽的宽朝僧正大人池塘里的乌龟。有缘到我这里来了。"

"你当作式神用了？"

"嗯，就是那么回事吧。"

就在说话间，吞天绕过屋子，又出现了。

这次不是一个人。吞天身后，还有三个人影。

走在前面的是身穿淡青色水干的少年。

紧随其后的是身穿黑色狩衣的高个男子，和一个穿着破破烂烂的小袖的孩子。

吞天在刚才那丛黄花龙芽中停下，略微低头行礼，然后缓缓地消失了踪影。

黄花龙芽丛中留下了三个人。

穿黑色狩衣的男子戴一顶黑漆礼帽，从帽檐垂下一方黑布，看不见他的脸。那块布看上去是一袭薄纱。

"好久不见啦，露子小姐。"

晴明对穿淡青色水干的少年说道。

"晴明，你刚才说什么？"

博雅惊讶的目光转向晴明。

"你说露子小姐，那不是橘实之大人的女儿吗——"

今年夏天，晴明和博雅为了赤蚕蛊的事，和露子小姐见过面。

"正是。在我们面前的正是露子小姐。"晴明说。

博雅仔细打量那少年。

"啊！"他轻轻喊道，"果然是露子小姐！"

"久违了，晴明大人，博雅大人。"

像回应博雅的惊叹声一样，那身穿淡青色水干的少年——露子小姐用清脆的声音说道。

"那边的两位呢？"博雅问。

"是蝼蛄男和黑丸呀。"露子说道。

蝼蛄男是露子收集昆虫时使唤的小孩子。

所谓黑丸，就是由芦屋道满制作的赤蚕蛊孵化而成的、有一双蝴蝶翅膀的式神。

一眼看上去，黑丸一副人的打扮，应该是把翅膀藏起来了。

"是黑丸嘛。"晴明说。

"它的眼睛跟一般人不同，所以就这样遮挡起来啦。"

露子说着，打量起晴明的院子来。

"好庭院呀。"

晴明的庭院简直就是把荒山野地切一角，原样移过来了。

"我记得上次也说过，我喜欢这样的庭院。"

"谢谢。"晴明点头致意，然后问道，"有什么急事，需要我晴明吗？"

"急倒是不急，却是相当有趣的事。"

"有趣的事？"

"我觉得应该是晴明大人喜欢的。"

"那么——"晴明微笑着摇摇头，示意说，"总之，先请这边来吧。我们在这里听你从容道来。"

四

博雅有些不知所措。

素面示人的露子小姐高高兴兴地坐在木条地板上。

露子的脸近得几乎气息相闻。她没有化妆，没有拔掉眉毛，也没有染黑牙齿，还是天生的那副模样。

一副男子的穿着打扮。

之前那次到这里来，也是戴一顶黑色礼帽，把长发藏在里面。今天她身穿淡青色的水干，长发后束，垂在背部。

肤色洁白得如同清秀的美少年，见者恐怕都不会想到是女子吧！按照常理，一个素面朝天的二十岁女孩子不可能在外面走动。

但是，在知道这是位女子的人看来，反而更觉得她娇艳动人。她脖颈的柔和线条，仿佛秀色可闻，让博雅不知所措。

蝼蛄男和黑丸已经退下。坐在木条地板上的，只有晴明、博雅、露子三人。

露子盯着博雅看，就像找到了有趣的新玩具。

仿佛承受不了那视线的压力，博雅开口道："可、可是……"

"博雅大人，您想说什么？"

"那、那么一副打扮在外面走动，不会出问题吗？"

"当然啦。谁都不会想到我是女人。"

露子注视着博雅，目光里带着恶作剧的神色。

她右手拿起木条地板上的酒瓶，左手扶酒瓶，摆出一副斟酒的姿势，说："给您添上吧。"

露子把酒瓶伸到博雅面前示意。

"啊，啊！"

博雅一把抓过酒杯，那只手却迟疑着没有伸出。让尊贵的殿上人的女儿斟酒是否合适呢？他拿不定主意。

"这也无所谓吧，博雅。"

说话的是晴明。他也拿杯在手，往前伸出。

"请添上吧！"

"是！"露子替晴明把酒杯斟满。

晴明把酒杯抵在唇边，呷一口酒。他白皙的喉头在动。

"好酒啊……"晴明微笑着。

"博雅大人呢？"露子的眸子在笑。

"我、我也请你添上吧！"

露子也给博雅伸出来的杯子斟满酒。

看博雅也喝过酒，晴明说道：

"啊，露子小姐，听你说吧。"

露子把手中的酒瓶放在木条地板上，端正坐姿，望着晴明说：

"晴明大人，有一种很不可思议的'嗡嗡虫'。"

"嗡嗡虫？"

"这种虫子是金色的，闪闪发光，晚上出现，到早上就消失。"

"您看见了？"

"看见了。"

"在哪里？"

"在广泽的宽朝僧正大人那里。"

"是遍照寺吗？"

"没错。"露子点点头。

五

据说，那种嗡嗡虫头一次飞来，是在五天前的晚上。

那天晚上——

遍照寺的明德正在诵经。是《涅槃经》。

很长一段时间以来，睡前诵经已成了明德的习惯。

因为老师宽朝每晚睡前诵经，明德自然而然就那么做了。

说是念诵《涅槃经》，但睡前的一点点时间，不可能全部读完。于是每晚接着往下念。

在自己房间里点上灯火，就着灯光念经。那天晚上也是这样。

察觉那种奇特的虫子，是在快读到当天要读的一半左右的时候。

闪闪发光的东西一只、两只地绕着近旁的灯火飞舞。

飞虫的影子不时一闪一闪地映在明德正诵读的《涅槃经》上，引起了明德的注意。

一看，是小小的虫子。比蝇大，但比虻小。

它还闪闪地发着金光呢。在灯火的映照下，非常漂亮。

"咦——"

在夏天，虫子围着灯火飞舞并不鲜见，但此时已是深秋，极少有虫子飞来了。而且，还是没有见过的虫子。

眼看着虫子三只、四只地增加起来了，不知不觉数量已经过百，数也数不清了。

明德照旧念完经，这时他发现，原来那么多的虫子已经消失无踪，不知去向。

那天晚上就是这样。

可是，第二天晚上又发生了同样的事情。

明德已完全忘记了昨晚的事，但诵经近半时，和昨晚一样的事又发生了。因为《涅槃经》上有小小的影子晃来晃去，便抬眼望望，发现灯火旁又聚集了那种金色小虫，嗡嗡地飞来飞去。

眼看着不断飞来金色的虫子，数量极多。

看着这情景的明德身上，也爬满虫子。虫子顺着衣服往上爬几步，又展翅飞起来。

伸手抓过来看看，那虫子类似小小的绿色金龟子。

明德觉得很稀罕，便拿来一块绸布驱赶这些飞来飞去的虫子，又用手去抓，把抓到的虫子装入身边的竹笼。

明德心想，第二天早上要好好看看是怎么回事，就让虫子留在竹笼里，自己去睡了。可是，到了第二天早上一看，竹笼里的虫子已经无影无踪。

第三天晚上、第四天晚上也发生了同样的事。

捕捉了虫子，装进竹笼里不让它们跑掉，但到了早上，虫子却不见了。

不是一般的虫子。

本来，明德是要对宽朝僧正说这事的，但不巧僧正数日前外出，到丹波去了，往后的五天左右，都不会回来。

明德常常见到橘实之。因为要做法事，实之带了几个人来遍照寺。

露子也跟在其中。

明德和实之早就认识，是好朋友。便对实之说了虫子的事。

"露子小姐似乎对稀罕的虫子感兴趣？"

能否请露子小姐看看，辨认一下是什么虫子呢？明德提议道。

露子在另一个房间里休息，实之对她说了从明德处听来的关于虫子的事。

"哟，挺有意思的嘛。"

露子清脆的声音里充满了好奇心。

这天，实之和露子他们在遍照寺的几处僧房里住了下来。

"今天晚上，我一定要看看那种虫子！"

"可是，人家虽说是僧人，但也是男人啊。你是女的，不能进入男人的房间啊。"

"哎哟，父亲大人是说，男人进女人寝室就行，女人去男人的房间就不行吗？"

"哎呀，露子呀，道理上你是对的。可世上光有道理行不通啊。人家要说闲话。"

"闲话什么的，你不说别人怎么知道嘛。"

实之把话挑明了，可露子不听。最终还是按露子的意思办了。

在明德的房间里摆好了屏风，露子在屏风后面坐等。

一男一女独处一室可不行，于是，露子的父亲实之也坐进了明德的房间。

是夜——

准备好笼子，三人在明德的房间里屏息以待。

过了一会儿，到时间了，明德像平时一样，在点亮的灯火下开始念诵《涅槃经》。

起初，什么事也没有发生。只有明德低沉的诵经声音。

咦——

不知何时起，一只虫子开始围着灯火飞舞。

小指的指甲大小的小小金粒闪闪发光，戏弄着灯火。眼看着就变成了两只、三只……数量迅速增长起来。

"哎呀，好漂亮……"

从屏风后面看着这一切的露子小声赞叹起来。

"我们把它捉起来吧。"

实之把在空中飞舞的虫子一只只捉起来，放进笼子里。

"父亲大人，请您放进笼子的时候数一下。"

因为露子那样说过，实之边捉，边一只、两只地数着。好不容易把所有的虫子都装到了笼子里。

"父亲大人，有多少只呀？"

"数到二百六十二只。"

"没错吗？"

"噢，我不会数错的。"

"可以把灯和那笼子拿到这边来吗？"

实之照露子说的，把灯和装有虫子的笼子拿到屏风这边来，露子接了过去。

"呀，真的好漂亮！"

露子发出赞叹声。

笼子里面是比萤火虫大两三倍的、发着金光的虫子。闪闪的金光从竹篾间透出，美得无可言喻。

"噢，这些虫子很像'嗡嗡'哩。"

屏风那头冒出露子的声音。

"虽然看起来全都像'嗡嗡'的样子，但仔细观察的话，还是能发现形状不同………"

不久，露子又说了：

"父亲大人，对不起，可以替我预备笔墨纸砚吗？"

这些都是明德房间里齐备的东西，马上就按露子说的准备好了。

"嘿，你的腿形状不同嘛！"

"你在这边呀，你的翅膀稍微大一点！"

看来，露子是在把虫子的特征一一记录下来。很花工夫。

好一会儿之后——

"父亲大人，的确是您说的那样哩。总共有二百六十二只！"

屏风那边，又传出露子的声音。

之后，屏风后传来小小的振翅声，虫子一只一只地飞了起来。

嗡嗡。唧唧。

嗡嗡。唧唧。

虫子振翅的声音听来就是这样。

"喂喂，露子呀，好不容易抓住的虫子，怎么又让它逃掉呢？"

"反正到了早上也会消失嘛。既然如此，不如现在就让它们跑掉，我也可以欣赏虫子飞舞的样子。"露子说。

六

"然后呢？虫子怎么样了？"晴明问。

"我留下了一只，放在枕畔，看着它入睡。可是早上醒来，它还是消失无踪了。"

据说，明德房间里的虫子也和平时一样，到早上就全都不见了。

"你说的早上也就是——"

听博雅这么说，露子接口道：

"就是今天早上啦。"

今天中午回到家里，父亲实之回到了他自己的房间。

不久，因为只剩下了亲随之人，露子便改扮男装，带着黑丸和蝼蛄男出门而来。

"那么，关于虫子，你当时作了种种观察？"

"是的。"露子从怀里取出一张纸片，"我都写在上面了。"

"可以让我看一下吗？"

"我就是想带来给您看的。"

晴明从露子手上接过纸片，打开。

博雅也凑过来，窥探纸上的内容。

纸上写着如下文字：

　　二百六十二只

　　一百一十六种

"这是什么意思？"博雅问。

"'嗡嗡'当时总共有二百六十二只嘛。"露子答道。

"一百一十六种的意思呢？"

"虽然很相像，但虫子的颜色呀、形状呀、脚的数目呀，都各不相同哩。仔细观察的话，每个部位都有些不同。有完全相同的，也有不同的。我数了一下，总共有一百一十六种。"

这些情况，博雅已经听说了。

接下来，还写着：

　　四只脚的二十一只

"意思就跟您读到的一样，四只脚的虫子是二十一只。"

"脚是四只，其他方面不同吗？"

"不是的，博雅大人，这句话的意思是：不仅四条腿相同，连翅膀形状和颜色全都一样的，有二十一只。"

"那么，接着往下看。"

四角翅膀、三条腿的九只

歪斜翅膀、两条腿的九只

翅膀金色较淡、两条腿的八只

博雅把纸片上写的东西逐次读出来。他终于读到最后一行：

六十五只

"这里只写了六十五只，是什么样的六十五只呢？"

"那六十五只'嗡嗡'不是一个样子的，它们和别的全都不相同——是这种'嗡嗡'的数目。"

"噢？"

"那六十五只每只都和其他的不相同。全都不一样，因为要写它们不一样的地方太麻烦了，所以只写了数目。"

露子说，这六十五只虫子就是六十五个种类。

也就是说，在一百一十六个种类中，每种仅有一只的黄金虫有六十五种。将露子写的情况归纳起来，是以下情形：

有二十一只相同的	一种
有九只相同的	两种
有八只相同的	一种
有七只相同的	三种
有六只相同的	三种
有五只相同的	三种
有四只相同的	四种
有三只相同的	十二种

有两只相同的	二十二种
仅有一只的	六十五种
合计	二百六十二只
	一百一十六种

"啊，原来是这样。"

晴明点点头，问露子：

"露子小姐，这些全都是你观察的结果吗？"

"是的。我经常这么做嘛。不过，我把黑丸叫到屏风背后，让它也帮了点忙……"

"太棒了，你的工作很值得称赞。"

"晴明大人，您对这些感兴趣吗？"

"是呀，很感兴趣。"

"那么，晴明大人，您可得替我解开这个谜呀。"

"谜嘛……"

"哎，晴明大人您和那座寺庙很熟吧？"

"对，和宽朝大人、明德都很熟。"

"马上就走一趟，没有关系吧？"

"噢，啊——"

"那么，我们今晚就去遍照寺吧。"

"但是，你不回家的话，家里会担心你呀。"

"嘿，这点事，晴明大人是不在话下吧。"

"倒也简单。"

"那就走吧。现在就出发，完全来得及。"

露子充满好奇的双眼盯着晴明。

"请博雅大人也一起来——"

露子望向博雅。

"怎么样，博雅？"

晴明微笑着，看着博雅。

"虫、虫……"

"我想看看金色的虫子在灯火下戏耍，闪闪发光的模样……"

"我也……很想看看！"

"那就得想个办法啦。"

"想办法？"

"露子小姐能够一起去的办法呀。"

七

"可以给我一根头发吗？"

晴明用毛笔在纸人上写下"露子"二字，对露子这么说。

"然后，就把它——"

晴明小心翼翼地把露子拔下的头发缠绕在纸人上，又用缎子绑好，不让它松开。

"现在，请你向它吹三口气好吗？"

照晴明所说，露子吹了三口气，晴明手中的纸人随即离手飘往空中，瞬间在空中变得与露子一模一样，站到了木条地板上。

"哦！"露子发出惊叹。

晴明望着院子里的蟋蟀男和黑丸，说道：

"把这个纸人露子小姐带回家去吧！"

他又叮嘱道：

"把大家瞒到明天早上就行。千万别让它接近水火。这个纸姑娘可以简单地应答，但不能自行判断事情、作出决定。这些事就靠你们跟在身边，妥善处理。"

蟋蟀男张口结舌，答不上来。

"蝼蛄男，你明白了吗？"

真露子开口说了话，蝼蛄男才勉为其难地用力点点头，说道：

"明、明白了。不会出问题的，晴明大人。"

"好啦，准备就绪，去遍照寺吧！"

"好，走吧。"

"我们走吧。"

见博雅点头，露子快活地说。

事情就这样定下来了。

八

晴明和博雅带着打扮成少年模样的露子往访遍照寺，明德满心欢喜地迎入三人。

"欢迎欢迎，博雅大人、晴明大人……"

已经是晚上了。

将三人迎入自己的房间之后，明德好不容易才知道那位"少年"是谁。

"这一位，你知道是谁吗？"

晴明这么一问，明德仔细端详起来。

"这位是——"

他还是弄不清楚。虽说有那么一点似曾相识的感觉，但明德毕竟从没有面对面看过露子的脸。

"是我。"

当"少年"开腔时，明德不禁"啊！"了一声，说道：

"这声音是——"

晴明没有让他说下去。

"他叫露丸，是我熟人的公子。"

听晴明这么说，明德好不容易按捺住自己，点点头说：

"不、不错，果然是这么一回事。"

"今天之所以叨扰，是因为我也想看看那种金虫子。"

"噢，原来是为金虫子的事。"

"对。露丸拜托我来解这个谜。"

"那么说，虫子的事，晴明大人已经知道了……"

"我有个大概的猜想了。"

听晴明这么一说，博雅开口道：

"哎，晴明，我可是头一次听你这么说嘛。要是已经知道是怎么回事，直接说出来不好吗？"

"不不，博雅大人，我没有说已经明白了，我说的是猜想。"

有其他人在场时，晴明对博雅说话的措辞就变得很客气。

晴明的目光回到明德身上，他不经意似的说：

"明德，可以借一张纸吗？"

九

明德开始诵经。

晴明、博雅、露子三人坐在明德身后，静静地等待那个时刻来临。

一如往常，只点了一盏灯。

灯油燃烧的气味，溶入房间的昏暗中。喃喃的诵经声在房间里缓缓流动。

已经过去多长时间了？

"来了——"

响起了晴明的低语。

几乎是同时，房间正中的天花板一带，昏暗之中，悄然出现了一个金光闪闪的东西。

那东西在空中飞舞着，靠近灯火。

它不是因为灯火照耀而闪着光。它是自己发着金光，飞向灯火。这头一只仿佛戏弄起灯焰来。

此时——

第二只忽然出现在空中。

一只。

两只。

三只。

虫子们不知从何处进入房间，出现在空中，朝灯火飞去。不知不觉，几只虫子闪着金光，戏弄着灯火。

"好漂亮……"

露子悄声叹息。

"真美……"

博雅也喃喃地发出赞叹之声。

"是这样啊，果然名不虚传。"

晴明低声说。

好一会儿，三人无言地望着虫子在灯光里飞舞的情景。

不久——

"是时候了吧。"

晴明说着，缓缓地直起腰来。

他支起一膝、两膝，成膝立之姿，向着灯火膝行趋前，向空中飞舞的一只黄金虫伸出右手，一下子抓住了它。

被抓住的虫子在晴明手中放着光，像萤火虫一样。

"噢——"

晴明用右手的食指和中指捏住小虫，伸到灯光下察看。

"这是有四条腿的虫子。据露丸大人检查，这是数量最多的一种。"

晴明一边说，一边伸手到怀中，取出之前向明德要来的白纸。

他左手托着白纸，用刚刚抓住金虫子的右手在纸上"啪！"地拍了一下。

这一下打过之后，晴明右手的手指间已经没有虫子了。

他右手的食指和中指并拢，指尖竖立在纸上，嘴里低低地念念有词。

不久，指尖移开了，他低头察看纸片。

"噢，现在知道虫子的真身了！"晴明说。

"知道了？！"

博雅和露子挤到晴明身旁来看。

"哦！"博雅一声叹息。

这时，明德也不诵经了，挨近晴明身旁。

"请让我看看！"

明德也来窥探晴明手中的纸片。

纸上写着这样一个字：

　　　无

原先可是一张纯粹的白纸。

"怎么回事？！"明德开口道。

"这就是四只脚的金虫子的真身。"

"就是这个'无'字吗？"明德又问。

"没错。"

就在晴明点头之时，在众目睽睽之下，"无"字晃晃悠悠地从纸片上飞升到空中。

然后——

一瞬间，它又变回金虫子，开始围着灯火飞舞。

"这是怎么回事呢，晴明大人？"明德问。

"在解释之前，我先打听一下。"

"您想问什么？"

"藏经阁在何处？"

"在本堂的东侧。"

"那么，可以带我到那里去吗？"

"当然可以。"

明德手里端着自己房间的灯盏，出了房间。

他身后跟着晴明、博雅和露子。

虫子们也绕灯飞舞，一起跟随而来。

进入藏经阁，晴明就着灯火，开始一卷一卷地翻阅那里的经卷。

"噢，有了！"

晴明拿起其中一卷，解开绑着的绳子，翻开。

"果然不出所料。"

晴明喃喃道。

"晴明，你说什么'不出所料'？"

博雅焦急地问。

"这个呀。"

为了让大家看清，晴明把那束经卷在灯光下展开。

"怎么回事？！"

发出惊讶之声的人是明德。

"晴明大人，这是《般若经》，可上面没有字！"

"对啦，都逃出来了。"

"字逃掉了？"

"没错。在灯火中飞舞的虫子，全都是从《般若经》里逃出来的字啊。"

"……"

"《般若经》全文共二百六十二字。当中使用最多的是'无'字，共二十一字。"

听晴明这么一说，博雅脱口而出：

"原来如此！"

"是哪位法师一直使用这本《般若经》？"

"是宽朝大人。他平时睡前读的就是这本《般若经》。他去丹波时，把经卷送回藏经阁才走的。"

"字是宽朝大人自己写的吧？"

"对，是宽朝大人亲手抄写的经文。"

"虫子出现的那天，正好是宽朝大人外出的日子吧？"

"是。真的，一点不错，晴明大人！"

"宽朝大人每晚诵读的《般若经》文字，因为没人来读而感到寂寞，所以每当传来明德的诵经之声，就都跑了过来，恳求诵读自己呢。"

"原来是这么一回事。"

明德连连点头。

一想到是宽朝亲笔书写、每晚必读的文字，发生这种事情也就可以接受了吧。

晴明开始喃喃念起《般若经》。

于是——

一直围绕着灯火飞舞的黄金虫陆续飞来，应和着晴明诵经的声音，飞入空无一字的白纸经卷中。虫子一飞入经卷中，便一一变作文字，到晴明念完时，一卷《般若经》已回复原样。

晴明卷起经卷。

"好啦，到宽朝大人回来为止，你每晚诵读这卷《般若经》吧。这样一来，就不会再有怪事啦。"

晴明把《般若经》递给明德。

"不过，看不到那种奇景了，也有一点点寂寞呢……"

晴明说着，微笑起来。

鬼小槌

一

冷森森的雪在下着。

庭院被自天而降的白雪铺成了银色世界。

柔和的白。

所有的东西上，都堆积了雪，地上的一切都被漫天洁白覆盖。

天地万物的声音，仿佛已被雪夺去。

没有风。雪花依然不住地从天而降。

当你凝视自天而降的雪时，甚至会觉得动的不是雪，而是这片大地。大地在静止于空中的、上万上亿片雪花中缓缓上升。观者也许会把大地上升的速度，当成雪花降下的速度。

望着雪景，这样的念头油然而生。

"实在是不可思议呀，晴明。"

发出这一句感叹的是源博雅。

这里是安倍晴明的宅邸——

博雅和晴明坐在木条地板上，边欣赏雪景边喝酒。

他们的身旁各放着一个火盆，一边向火取暖，一边说话。

二人脚上都穿着丝绸袜子。这种袜子，就是将两块脚掌形状的布缝合而成的、不分脚趾的袋子。袋子上部有两根带子，系在脚上以免滑脱。

"你说什么事情不可思议？"

晴明眼梢细长的双眼转向博雅。

"就是这场雪。"

"雪？"

"你看这个院子呀。"

博雅的视线投向庭院，心中仿佛有无限感慨。

庭院里的松树、枫树和樱树的枝干上，甚至细小的枝条上，都积起厚厚的雪。

枯立的黄花龙芽上、庭石上，也积叠着雪。

"不仅这个庭院，现在整个京城都下着这样的雪呢——"

"嗯。"

"岂不是很奇妙吗？"

博雅端起酒就喝，仿佛陶醉在自己的话里。

"晴明啊——"

"什么事？"

"雪花虽然看上去柔若无物，可不正是因为它的重量，才自天而降的吗？"

"嗯。"

"我刚才在想，这重重的雪是如此的多，它究竟存在于天上何处？"

"噢。"

晴明沉静地点点头，红唇含一口酒。

"昨天——不，直到今天早上，你也知道的，天空还是那么晴呢。怎么就……"

"……"

"究竟是什么时候、在天上的何处，预备下了如此之多的雪呢？"博雅在木条地板上放下酒杯，把手伸向火盆烘火。

"在天上何处倒也无所谓，可为何到现在，雪才开始下呢？"

"博雅呀——"晴明嘴角含笑，说，"你真有意思。"

"有意思？"

"对呀，很有意思。"

"那又怎么样？"

"是这样，博雅，雪呢，的确是在天上形成后才掉下来的，但并不是这么多的雪都是在天上制作好，然后再落下来呀。"

"那么，是怎么掉下来的？"

"雪是一形成，随即就掉下来的……"

"噢？"

"你现在视为雪的东西，说来就是'咒'。"

"咒？"

"是咒。"

"喂，晴明，你又打算蒙我吗？"

"我没有打算蒙你。"

"真的？"

"好啦，博雅，你听着。"

"噢。"

"雪是什么？"

"什、什……"

"所谓'雪'，就是水。"在博雅说出来之前，晴明抢先说道。

"对、对对。"

"春天里，雪融为水，渗入地下，有些汇入河流，进入湖泊、大海……"

"对对。"

博雅又点点头。

"这些水，又溶化在大气里。"

"溶入大气？"

"如果我们用钵装了水，搁在一边不理它，过两三天工夫，水就没有了，对吧？"

"对。"

"你认为这些水到哪里去了？"

"到哪里去？"

"溶入了大气呀。"

"……"

"大气凝聚于天上，时而成云时而成雨，又降落到地面。这回呢，是变成了雪。"

"噢噢。"

"形状和方式虽然时时刻刻在发生变化，但是，它的本质是水。"

"……"

"水有时会因咒而变成云、变成雨、变成雪哩。"

"可是，照这么说，你所说的本质的水，不也还是咒吗？"

"一点不错，博雅。我说的本质的水也还是咒，不妨说，云也好雪也好，本质都是水。无论水呈现何种形态，其本质没有变化，也就是咒了……"

"这就是说，晴明，天上无穷无尽的雪，是有其根源的，对吧？"

"正是如此。"

"雪的来源这东西，天上有，这片大地上也有，岂不是无处不在？"

"对。"

"也就是说，雪也好雨也好，水也好云也好，并不是在某处存在一个大根源，而是彼此之间互为根源,彼此互相转化，在这天地间运行。"

"一点不错，博雅。"

"简而言之，我此刻就是在看运行于天地间的咒啦。看雪，岂非就是在看咒的运行吗？"

"你好厉害呀，博雅。所谓看雪，其实就是你说的那么回事。"

晴明话里充满赞叹之情。

"所谓咒，就是运行。"

晴明一边说，一边把目光投向大雪覆盖的庭院。

"无论是何种咒，其形状总在不断变化。任何事物，均以变化之态驻留大地上，释尊也这么说过。"

"很难得嘛，晴明，没想到能在这儿听你弘扬佛法呀。"

"因为佛法也好咒也好，追根究底，其道理是很接近的。"

晴明若无其事地说。

"不过呀，晴明——"

"什么事？"

"刚才和你谈论雪，我感觉明白了一些东西，可是……"

"怎么啦？"

"最初看这雪时，有一种挺不可思议的吃惊的感觉，现在这种感觉似乎已经不知所踪啦。"

"噢。"

"对于雪也是运行中的咒这样一种存在，我也很吃惊。可一开始我看着雪感到不可思议，也是真实的感觉。"

"你真是不得了啊，博雅。"

晴明恳切地说。

"我什么地方不得了？"

"你明白吗，博雅？'看雪其实是在看运行的咒'——这话不是我说的，是你说的啊。"

"是这样吗？"

"这可不是那些和尚啊、阴阳师啊轻易说得出的话。你精辟地说出了天地之间的至理。"

"是这样吗？"

"是的。而且，你还没有察觉。所以还在叹息大雪是如何不可思议。你呀，比这场雪更让我觉得不可思议……"

"哦哦。"

"我就喜欢你这种地方。"

微微的笑意，爬上了晴明的嘴角。

"你别取笑我，晴明。"

"我没有存心取笑你。"

"真的？"

"我一向说你是个好人。"

"你还是在取笑我。"

"没有的事。"

"得了吧。你说我是个好人的时候，通常就是取笑我的时候。"

"你怎么噘着嘴呀，博雅？"

"真的？"

博雅边说边抬手去摸嘴巴。

"你真是个好人呀，博雅。"

晴明说着，微笑起来。

博雅拿开嘴边的手，说道："别取笑我嘛。"

他这回真的噘起了嘴。

此时，晴明右手已端起斟了酒的杯子，边送往嘴边，边把目光移向庭院的方向。

"下得好。"晴明忽然说。

跟随着晴明的视线，博雅也将目光投向庭院的白雪。

"哎，晴明……"博雅低声说。

"嗯？"

"在这样的雪天里，我总是想起那位白比丘尼大人，不知她现在可好？"

"博雅呀，那位大人可是吃过人鱼肉、不老不死的啊，极少生病。"

"不，我不说那个，晴明。我说的不是她的身体健康，是她的内心。"

"我知道。"

晴明仍然凝望着庭院里纷纷落下的雪。

"我不知道她此刻在哪里、在做什么，但这一场雪，是人人共对的吧。"

"……"

"白比丘尼的上空，恐怕也下着这场雪吧。不仅仅是白比丘尼，一想到分开后没有音信的人们上空，都在下这么一场雪，我突然觉得，这雪好像变得可爱起来……"

晴明收回的视线，落在博雅的脸上。

"虽然不知道平实盛大人此刻在哪里、在干什么，他的上空，恐怕也下着这场雪吧。"博雅说。

"哦，你说左卫门府的平实盛大人吗？"

"你认识他吗，晴明？"

"不认识。人是见过几次，但没有交谈过。他好像是……大尉？"

"对，大约一年前被任命为大尉。"

"据说一个月前的晚上，他出门之后就不知下落了。"

"卫门府的藤原中将关照过我，我也想助他一臂之力。"

"他似乎颇得中将大人的欢心。"

"正是如此，晴明。"

听了这话，晴明像忽然想起什么似的，压低声音说：

"关于那位中将大人，博雅，你没有听说什么吗？"

“关于他的什么？”

“他的烦恼。”

“你是说中将大人的病？”

“现在京城里流行的那种呀。”

“猿啼病？”

“对。”

晴明点点头。

所谓猿啼病，是约两个月前开始在京城里流行的疾病，患者会发烧，身体各处疼痛。

腰和脊椎关节疼痛，发高烧说胡话。病情再加重的话，就变得不能站立，只能卧床，到了半夜，会痛得熬不住，在床上喊叫起来：

“吱呀！”

因为喊叫声类似猿叫，这种病便被称为“猿啼病”。

“好热！好热！”

患者边说边要水喝：“水！给我水！”

不住地想要喝水。

虽有人痊愈，但也有人因此病而去世。藤原中将也患了这种猿啼病。

“可是，晴明，你是怎么知道这件事的呢？”

“要说这个嘛，博雅——”

“噢？”

“其实已经来过了。”

“来过？”

“就在你来这儿之前，藤原中将大人府上派了人来，那时雪还没有开始下。”

“噢。”

“他在约四天前得了这病，身体弱了许多，服了药也没效果，便派人过来，让我设法治一下。"

"那，要怎么办呢？"

"我答应了过去的，可下了这场雪呀……"

"噢。"

"说是傍晚派车来接的，要是来的话，再有一会儿就该到了吧。"

"原来是这样啊。"

"不过嘛，博雅——"

"还有什么吗，晴明？"

"我很烦去那么拘谨的大宅子哩，如果你肯陪我一起去，我就有信心啦。"

"是吗？"

"怎么样，一起去吗？"

"噢……"

"走吧！"

"噢。"

博雅嘴巴刚刚张开，晴明又说了：

"走吧！"

"走！"

事情就这样定下来了。

二

果然，到了傍晚——

正如晴明所说，藤原中将家派了牛车来接。

车在门外。晴明和博雅穿上束带靴，踏着积雪，走到门外。

雪依然在下。晴明和博雅身上的衣物已经披上了雪花。

傍晚的昏暗中，雪景绵延。四名随从手持燃烧的火把，立于雪中，等待着晴明和博雅。

二人往牛车里探看一下，发现车里放着一个取暖的火盆。

"噢。"

"不错。"

晴明和博雅同时说道。

此时——

"喂，晴明——"

二人身后响起一个声音。

晴明和博雅一回头，只见稍远的雪地里，站着一个老者。

一头乱如蓬蒿的白发。

在雪天的傍晚，却只穿着一件破破烂烂的水干。

炯炯有神的一双黄色眸子。一张皱纹纵横的脸。

是芦屋道满。

"这不是芦屋道满大人吗？"

"好久不见啦。"

道满嘟囔一声。他蓬乱的头发上有一层雪。

"有什么事用得上我吗？"晴明说。

"你是打算去藤原中将那里吧？"

"正是。"

"说来，那本是我的事哩。"

"你的事？"

"不管出现什么事，一半算在我道满头上。这一点，你记住好啦……"

"我会记住的，可这回是什么事呢？"

"去了就知道了。"道满说着，背过身去，"我且看热闹。一切进展顺利的话，我就去拿一半。"

他迈开步子。

在雪中，道满渐渐远去。他竟然赤着脚！

直到看不见道满的身影了，晴明和博雅才钻进牛车。

三

藤原中将卧床不起，哀声连连。

"好热啊……"

"好热啊……"

他意识模糊不清，大汗淋漓，如果掀起卧具，恐怕会冒出一股热气。

用手触摸他的肌肤，热得不像是人的身体。

"好痛啊……"

"好痛啊……"

腰背、全身的骨头都疼，几次变换睡姿，不时扭动着身体。

然后，突如其来地圆瞪双眼，厉声喊叫道：

"吱呀！"

家中各人都围在枕畔，却束手无策。

中将身上的衣物一会儿就被汗水湿透，于是就替他更换。

"您觉得怎么样——"

"您好些了吗？"

家人只能说些类似的话。

给他服用的药物完全没有效果。之前还是一副热得不得了的样子，忽然间就说觉得冷。

"好冷啊……"

"好冷啊……"

他的身体直打哆嗦。而且，一直闭着的双眼睁开了——

"吱呀！"

他又叫唤起来了。

就在此时，晴明和博雅赶到了。

中将躺在屏风后面，晴明在他的枕畔坐下，凝神调整呼吸。

在四盏灯火的照耀下，可见中将额头的汗珠和乱发。

看见中将的样子，晴明"啊！"地轻呼一声。

"噢……"

晴明若有所悟地点点头，说：

"原来是这样啊……"

又接着说：

"这种情况，也就无需药物和特别的修法啦。"

"喂，是真的吗，晴明？"

坐在晴明一旁的博雅说。

"您请看吧，博雅大人。"晴明说。

有旁人在场时，晴明对博雅说话总是毕恭毕敬。

在晴明的催促之下，博雅望向中将，看了好一会儿，终于发现问题似的嘘了一口气。

"哦，中将大人的样子是……"

随着博雅的声音，众人一起望向中将，发现中将的样子和刚才大不一样了。

之前他总是不停地左右扭着身体，可此刻已经不再那样不安地动来动去了。

"好冷啊……"

"好热啊……"

"好痛啊……"

刚才还那么哼哼着，而现在已经双唇闭合，安静地发出睡眠中的呼吸声。依然头发蓬乱、面容憔悴，但除此之外，与平时的睡姿并没有太大分别。

"吱呀！"的喊叫声也没有了。

藤原中将闭目安眠。额头上还有汗珠，但已经不再增加，似乎开始退烧。

这是从晴明在中将枕畔坐下的一刻起出现的情况。

"你究竟干什么了，晴明？"

"我什么都没有开始做。"

晴明说着，把视线移向中将的对面。

中将仰卧着，晴明坐在他的右肩附近，视线所及之处，是中将左肩的枕畔。

他向着枕头那边点头致意，就像那边有人在一样。

"是的，我来了。"

晴明对着虚空说。

"喂，你怎么啦，晴明？"

即便博雅发问，晴明也不予理会。

"哦，原来额上那个是原因啊——"

晴明一膝屈起，从怀中取出一张纸片，嘴里小声念念有词，右手指尖轻轻往左手的纸片上一戳。

晴明右手拿过纸片，往中将对面一侧探出身子，手中的纸片像在空中擦拭似的挥了一下。

就在这一瞬间——

中将的枕畔慢悠悠地现出一个人影，马上就变成了真人。

他身穿水干，右手握着小槌，注视着晴明。

"啊！"众人同时惊呼一声。

"这是平实盛大人呀。"

"实盛大人？"

"实盛大人？"

坐在那里的，不正是这一个月来失踪的平实盛嘛！

"啊！"

紧接着发出惊呼的，却是实盛。

"那么，大家能够看见我啦？看得见我啦？"

他放声大哭起来。

<h2 style="text-align:center">四</h2>

"是这样的　　　　"

在晴明的催促下，没过多久，平实盛终于开口了。

"那天晚上，在我去女人那里的途中，遇见了怪事。"

实盛缓缓地说出了事情的经过。

平实盛出发前往住在西京的女人处，刚好是约一个月前的晚上。他独自上路。

既没有乘牛车，也没有带随从。他徒步前行。

他这个"大尉"职位，是六位官阶，不算大官。

比起乘车，独自步行更加方便，而且他喜欢这样。

在四条横过朱雀大路，步行一阵子，发现前方有几点灯火在接近。是点亮的火把。

这是一个月夜，实盛没有持灯火。

遇见熟人可是件麻烦事，要是盗贼的话，尽管自己是卫门府的人，单枪匹马跟他们干起来，也占不到什么便宜。

实盛躲避到旁边大松树的阴影下，打算让他们过去。

然而，看清走过来的家伙，实盛吃了一惊。

不是人。是鬼。

独眼的鬼。

有很多只手的鬼。

没有脚，用身体长出来的六只手走过来的鬼。

用一条腿蹦着走过来的鬼。

这一伙十来个鬼，正向这边走过来。

实盛已经吓得魂飞魄散了。正当他祈求着众鬼快快通过时，众鬼竟然在松树前停下来。

"咦，好像有一股香味。"

"噢噢，好香。"

"香。"

"香。"

众鬼停在马路中间，抽动着鼻子东嗅西嗅起来。

"是人的香味吧？"

"是人。"

"这儿有人！"

"在哪里？"

"在哪里？"

众鬼开始四下寻找。实盛缩起来，躲在树荫里，身体颤抖不已。

"哇！"忽然，嘴巴大张的独眼鬼探过头来，"我抓住啦！"

它揪着实盛的衣领，一下子把他拖到了路中央。

"喂，这家伙看见了我们，就躲到树影里去了。他不是个普通人吧？"独眼鬼说。

"这说明，他看得见我们的样子哩。"

"这可就奇怪了。"

众鬼这么一说，用六只手爬行的鬼便过来问道：

"喂，你，平时信仰什么东西吗？"

"是、是！谈不谈得上信仰我也不知道，平时一有机会，总对着六角堂的如意轮观音合掌——"

实盛好不容易说出话来。

"噢，平时参拜六角堂。也难怪看得见我们啦！"

"看来是这样。"

众鬼纷纷点头，恍然大悟一般。

"那么，这家伙怎么办？"

"吃掉好啦！"

"对对，吃掉。"

就在这时，一个声音插话了："等等。"

是一条腿的鬼。

"我们现在时间很紧哩。"

"对呀，必须赶往二条的藤原清次家去。"

"本身就已经忙不过来啦，哪有工夫吃人呢。"

"倒也是。"

"那么，让他给我们办事吧？"

"这是个好主意。"

"那就这么办啦？"

独眼鬼说完，喀地张开嘴巴，"呸"地向实盛吐了一口唾沫。唾液正中实盛额头。

"喂，拿着这个！"

一个鬼把一件东西交到实盛手上。一看，原来是一把用旧的小槌。

"你拿着它，跟我们走！"

一帮鬼又开始赶路了。

无奈，实盛只好跟着它们走。

不知不觉中，众鬼两个两个地散去了，等实盛察觉时，发现自己和独眼鬼一起站在藤原清次家大门前。

"走，进去！"

独眼鬼麻利地直入清次内宅。

清次家中，一片沉睡的静寂。但闯入者咚咚的响亮脚步声却没有惊起任何人。

不久——

当来到在寝具中安睡的清次枕边时，独眼鬼停住了。实盛也站立在独眼鬼旁边。

"刚才交给你的小槌呢？"

鬼用它的独眼瞪了一下实盛。

"是、是！在这里。"实盛答应道。

"用小槌敲清次！"鬼说道。

"什么？"

实盛不明白鬼的话是什么意思。

"你只管敲，不用管别的——"

既然如此，实盛只好隔着卧具，心惊胆战地用小槌敲打熟睡中的清次的身体。

啊——

清次小声呻吟起来。

实盛害怕清次醒过来，但是，清次并没有睁开眼睛。

"别住手，给我不停地敲！"

既然鬼这么说，实盛也就不再顾忌，用小槌敲打着清次。

"好热啊……"

"好热啊……"

不久，清次开始出声地呻吟起来。

"好痛啊……"

"好痛啊……"

忽然，清次两眼瞪圆，大喊一声：

"吱呀！"

实盛大吃一惊，以为清次醒过来了，但清次并没有醒。

实盛停下了手中的小槌。

"给我不停地打！"

在鬼的催促下，实盛又开始敲打清次。

于是——

"好热啊……"

"好痛啊……"

"好冷啊……"

然后，清次喊叫起来——

"吱呀！"

敲打了约一个时辰后，独眼鬼说："差不多了，停手吧！"

实盛刚住手，鬼就吩咐："去打下一个。"

他们出了清次家，进入另一所宅子，在那里，实盛又照吩咐干了相同的事。

终于，实盛察觉到了：这不就是那种"猿啼病"吗？

原来用自己手中的小槌一敲打，人就会患上那种像猿猴般尖叫的病。

黎明时分，当东方的天空开始泛白时，鬼说道：

"好啦，晚上我还去找你，白天你随意吧！"

在四条和朱雀大路的十字路口，鬼消失无踪，丢下实盛一个人。他怀里还留着那把小槌。

不可思议的经历！实盛满怀着心事赶回家，家人们已经起来了。他们都为实盛没有回家而忧心忡忡。

"喂，是我！我回来啦！"

实盛发话了。但是，所有的人对他都一副视而不见的样子。

实盛走上前去，大声喊道：

"怎么啦？是我！看不见我吗？！"

众人还是没有反应。

看来，家里人不但看不见自己的模样，连声音也听不见。想用手去触摸，手却穿过了对方的身体。

一筹莫展之时，夜幕降临了，到了晚上，众鬼来到实盛家里。

"走吧。今天晚上你还得好好干活——"

整整一个晚上,实盛和众鬼一起,又干了和前一个晚上同样的事,到了早上就自由了。

就这样持续了一段时间。好些天不吃不喝,却不见瘦,也不困。只是不能跟人说话。

说到乐趣,也就只有拿小槌敲打别人,让别人患上猿啼病的时候了吧。

开头还是战战兢兢的,但不知不觉中,开始觉得用小槌打人很好玩。

有时候也会打上一个平日飞扬跋扈的人,看着那家伙瞪圆两眼,吱呀尖叫的样子,觉得挺滑稽的。

但是,没有说话的对象,这可让实盛感到孤独。

约五天前,当实盛呆立在四条大道和朱雀大路交界的十字路口时,一个形象怪异的老者向他走来。

一头蓬发,身穿褴褛的水干,赤脚。

就是这样一位老人向实盛走来。

他的眼睛盯着实盛。实盛不禁回头望向身后。

他以为有人在自己身后,老人在望着那个人。但身后一个人也没有。

不一会儿,老人走到实盛跟前,站住了。

"你,手上的东西挺有意思嘛。"

老人看着实盛拿的小槌说。

"你、你能看见我?"

"当然能看见。"老人满不在乎地说,他望望实盛的额头,又说,"咦,被疮疤神吐了唾液嘛!"

实盛抬手揩了揩额头,但就像之前一样,唾液擦不掉。

"那可不是随手抹一抹就能擦掉的。"老人盯着实盛,说,"哎,要我救你吗?"

他嘿嘿一笑，露出一口黄牙。

"您能救我吗？"

"当然。不就是让你现身嘛，还让你跟之前一样能吃能喝的吧！"

"那真是求之不得了！"

"那么，我可以提点要求吧？"

"不论什么——"

实盛刚说到这儿，忽然想起什么来似的说道：

"但是，一到晚上，无论我在哪里，那些鬼都要来找我。这可怎么办呢？"

"没关系。我在这里等它们好了。"

老人蛮有兴致地笑着，发出吊嗓子似的声音。

不久，夜幕降临。

站在十字路口的实盛和老人耳边，响起不知从何而来的声音：

"哦哦……"

"嗷嗷……"

当声音渐渐接近时，仿佛从四面八方的昏暗中现身似的，众鬼蠢动着围拢过来。

"哎，你今晚还得好好干活！"独眼鬼说道。

这时，一条腿的鬼开腔了：

"咦，这里有个奇怪的老头哩。"

"这老头是什么人？"

"是我们的模样现形了吗？"

就在众鬼议论纷纷的时候，老人"咳！"了一声：

"这个人我要带走啦！"

"什么？"

众鬼紧张起来。

"不会有什么意见吧？他原本就不是你们的伙伴嘛。"

老人若无其事地说。

"你说什么？"

"能看出我们的原形，看来你多少有一点修为吧。可要是半吊子就说大话，你会很惨哩——"

"先把这老家伙吃掉！"

"好。抠出他的眼珠子，扒出他的心肝，当场吃掉！"

"有意思。"

老人伸出赤脚，迈步上前。

"那就试试看吧。"

老人满不在乎地说。

此时——

"哎，这家伙，是那所破庙的老头哩。"

用六只手爬行的鬼冒出这么一句。

"你说什么？"

"真的哩，是那老头。"

"这家伙，从前曾经闯进阎王殿，化身为马头大王蒙过咱们哩。"

"真要跟他较劲，他可是个让人头疼的家伙。"

"别惹他。"

"别惹他。"

众鬼安静下来了。

众鬼轮番打量着实盛和老人，说道：

"看在你勤勤恳恳干了一个月活的分上，就这么饶了你吧。"

"本想让你加入我们，但这老头多管闲事，没法子啦。"

"你爱怎么样就怎么样吧。"

众鬼说完，背过身去，各自嘟囔一句：

"我去一条。"

"那我去堀川那边。"

"千万别接近土御门一带啊。"

众鬼消失在黑夜的昏暗中。留下了老人和实盛二人。

"怎么样，完满解决了吧？"老人说。

"是的。"

虽然不明白那些可怕的鬼为何奈何不得这个寒碜的老人，不过，看来自己是获得自由了。

"好吧，那你就给我干一件事吧。事成之后，我就让你回复原来的样子。"

"我得干什么事才行呢？"

"哦，你就干和之前同样的事就行。"

"干同样的事？"

"噢噢。你找一户人家，用那把小槌敲打主人，让他得三四天猿啼病就行。"

"找哪一家人好呢？"

"哪家都行。不过，有钱人家更好。"

老人满意地微笑着。

"你拿小槌尽量把主人敲打得叫唤几天，直到我出现就好了。"

"明白了。"

实盛点头应允，他忽然想起自己一个月前要去找的女人。

"可是，在此之前，我想去看一个女人……"

之前他连去那女人处的力气都没有，可一想到将变回原样，忽然就想见那女人了。

"那当然没有问题啦。"

"我还没有请教尊姓大名。您究竟是哪一位法师呢？"

"我吗？我就是你所见到的脏老汉啦——"

"请教尊姓大名？"

"播磨的芦屋道满……"老人说。

五

"噢，原来是这么回事……"

晴明对说完整件事的实盛说道。

他们已经不在藤原中将的寝室里了，退至另一室，晴明和博雅，还有另外几个人，一起听实盛讲述事情的经过。

"情况大致已经知道了，但是，我还有不明白的地方。"晴明说。

"您请讲吧。"

"为何选中的是藤原中将大人？中将大人不是一直很照顾你吗？"

"您说得不错。"实盛潸然泪下，"承蒙中将大人百般看顾，我却干出这种事，心里难受之极。可我是有理由的。"

"什么理由？"

"五天前的晚上被道满大人所救，就赶紧去看望那女人，可是……"

实盛说到这里，欲言又止。

"可是什么呢？"

"可是，那女人已经有别的男人了，和那男人同在寝室里。"

"……"

"那男人正是中将大人。"实盛说。

六

晴明和博雅坐在木条地板上，轻松地喝着酒。

雪还在下。积雪已深至没膝。

这是一个寂静无风的夜晚。仿佛飘然降下的雪花落在积雪上的声音也能听见。

从藤原中将家一返回，二人便坐下喝酒。

"事出有因啊。"

博雅感慨地说。

"因为那件事，实盛便对中将大人动小槌了。"

"唉，就是这么回事啊。"

"可是，这个道满大人，他为什么要让实盛去干那种事？"

"为了钱嘛。"

"钱？"

"想赚一笔，得个温饱吧。"

"——没错，就是这样。"

晴明这么说的时候，一个声音从庭院传过来，接着晴明刚说出口的话说。抬眼望去，只见雪中立着一个朦胧的人影，也不知他是何时进来的。

"我原想瞧准猿啼病严重之时，出马疗治，赚一笔钱。"

是芦屋道满。

"当我厚着脸皮去中将家时，说是已经去请晴明了。"

道满挠着头苦笑。

"没办法啦。不过，这里头有一半是我干的哩。晴明，你要是把这事当成工作，收入的一半应该归我拿。入了冬也真够冷的，偶尔也得有点好东西垫垫肚子啊。"

"那可就对不起啦，道满大人。"

"什么？！"

"我没有收中将大人任何赏金。"

"什么？真的？晴明你——"

"真的。"

晴明这么一说，一瞬间，道满一脸要哭出来的表情。

"不过，倒是从实盛那里得到了一些谢礼。"

"是什么？"

"酒。"

"酒？"

"现在我和博雅喝的就是实盛的酒。如果愿意的话，跟我们一起品尝？"

道满轻轻叹息，嘴里嘟嘟囔囔。

"真拿他没办法……"

"那就不请自来吧。"

他赤着脚刷刷地踏雪过来，拍掉身上的雪，走上木条地板。

一看，杯子和烧得正旺的火盆都预备了三个。

"呵呵……"

道满喜出望外地微笑起来。他一屁股坐下，盘起腿，拿起酒杯向晴明伸出去。

"倒酒，晴明。"

"是。"

晴明端起烫热的酒瓶，给道满的杯子斟满。

热气从酒杯冒出。道满一饮而尽，鼻子几乎埋没在热气里。

"好酒好酒。"

道满眉花眼笑地说。

"博雅，这酒可得快点喝呀……"晴明说。

"我不会输给别人。"

道满笑着说。

"喂，晴明，听起来，好像我这人酒瘾很厉害？"

"听得出来？"

"听得出来。"

博雅噘着嘴说：

"我只是喜欢酒而已。"

道满忽然手一伸，从晴明怀中抽出小槌。

"博雅大人，要是没酒了，我就拿这个去敲人，酒就会有啦。"

"晴明，你——"

博雅吃惊地望着晴明。

"谁也没有注意这把小槌子，我就拿走了。"

晴明若无其事地说。

道满开心的笑声响了起来。

枣和尚

一

昏暗中芬芳怡人的花香，似乎是樱花。

微微的香气，若有若无。

感觉有，就有。

感觉没有，就没有。

不过，当你安静地呼吸着夜间的大气时，似乎就能感觉到某种透明的花香。

"实在是不可思议啊。"

说这话的是源博雅。

在安倍晴明的宅邸，晴明和博雅坐在木条地板上，相对饮酒。

"什么事不可思议，博雅？"

晴明移动视线，望望博雅。

"一直在运动呢。"博雅说。

"什么东西在运动？"

"是一个大家伙。"

"大家伙？"

"很大，但是它……"

"它怎样？"

"肉眼看不见。"

"哦？"

晴明嘴角带着笑意，显得饶有兴趣。

月光照着暗夜。昏暗中，樱花瓣悄然飘落。

虽然没有风，花瓣还是离枝而去。

博雅一边饮酒，一边欣赏着白色的花瓣在月光下轻盈飘落。

"虽然肉眼看不见，但通过肉眼看得见的东西，就能知道它在运动。"

"它，究竟是什么？"

"比如说吧，它可以是季节——可以叫春天。"

"噢。"

"你明白了吗，晴明？比如那些樱花瓣……"

"那些花瓣怎么啦？"

"飘落了。"

"噢。"

"花瓣会飘落，然后长出绿叶，绿叶上又会呈现秋色，然后飘落。但是，没多久又到春天，花朵又会盛开，对吧？"

"噢。"

"不仅仅是樱花，梅花也好，像鹅肠菜、萱草那样的野草也好，都一样。树木、花草、虫鸟，都是同样随着季节变化的。"

"噢。"

"变化中的各种事物，都能够看见。"

"能看见吧。"

"可以看见盛开的樱花，也可以看见散落的花瓣，还有花间流连的蝴蝶、小鸟，都能看见。不过，晴明啊……"

博雅把酒杯放在木条地板上，加重了语气。

"这一点是很关键的——我们所看到的，其实并不是季节本身。"

"噢。"

"我们所看见的，只是盛开的樱花、散落的花瓣、飞舞的蝴蝶，还有小鸟……"

"不错。"

"对吧，晴明？有某种肉眼看不见的巨大的东西，在这天地间运行。"

"嗯。"

"樱花之所以花开花落，是由于那巨大的东西在运行。我不知道该把它称为'春天'，或者'季节'，还是'时间'？虽然不明白，但知道它在运动，不就是因为我看见了樱花瓣在飘落吗？通过花鸟虫鱼等肉眼可见的小东西的动静，就可以明白这天地间的巨物不为人见的动静。"

"……"

"实在叫人觉得不可思议呀，晴明——"

"的确如此。"

"我看着樱花，就想到了这些。"博雅说着，又向酒杯伸出手。

"哎，博雅，我真想让那些只知道早晚念经的和尚，听听你刚才的一番话。"

"让和尚听我的话？"

"你所说的话，跟咒或者佛法的主张完全一致。"

"请到此为止，晴明。"

"什么到此为止？"

"因为你又要搬出咒来了。你一谈起咒，我立刻云里雾里……"

"是吗。"

"我很高兴，看来你是在夸我，可是——"

"可是什么？"

"你一提到咒，我就觉得你在取笑我。"

"是吗？"

"是。"博雅自信地点点头。

晴明看一眼博雅，恳切地说："毕竟是因人而异啊。"

"因人而异？"

"嗯。并不是身为僧人、阴阳师，就能自然地理解天地万物的道理。能否理解种种道理因人而异。博雅呀，你不是僧人，也不是阴阳帅，却自然而然地理解了其中的道理。"

"噢噢。"

"既然提到了和尚……"

"有什么事？"

"明天我得去一趟叡山。"

"嗯？"

"你知道常行堂附近的杉树林中，有个叫祥寿院的地方吗？"

"一时想不起来，是怎么回事？"

"那是当初最澄和尚为得读经三昧而修建的，现在那里有三四位僧人。"

"那又怎么了？"

"据说，那里来了个奇怪的僧人。"

"奇怪的僧人？"

"没错。"

晴明开始讲述事情的来龙去脉。

二

是这么回事：

四天前——

仁觉和英德正在祥寿院读经。

祥寿院另有两位僧人，但他们因事外出，留在祥寿院的只有仁觉和英德两人。

所读经书是《般若心经》。

此时，突然出现了一位僧人。

"劳驾——"

他在两人背后搭话。

"劳驾——"

"劳驾——"

两人停止念经，回过头来一看，一位僧人站在那里。

身上衣衫褴褛，僧衣确实是僧衣，但看起来已成烂布片，也许一件衣服穿了数十年都不洗，就会变成那样。

论岁数，是年届四十的样子，说话却是怪怪的。

"义然在吗？"

他说了一个不认识的僧人的名字。

仁觉和英德对望一下，说道：

"不认识。"

"那么，明实在哪里？"

那僧人又问。也是没听过的名字。

"你所说的僧人，我们都不知道，请问你是哪位呢？"仁觉问。

于是——

"我是惠云嘛，不认识我吗？"他这样说道。

当两人说不认识时，那个自称惠云的僧人逼近过来，问道：

"究竟发生了什么事？"

那位惠云呼出的气息中，微微带着某种果实的香气。

到底是什么香气，却不明白。也许是心理作用吧。

"现在的住持是谁？"

仁觉回答了惠云的问题，惠云却一脸困惑。"不认识。"

仁觉他们暂且让惠云坐下，仔细询问种种问题，这才知道惠云的情况大致如下。

三

约半个月前——

惠云因事外出到熊野。

事情结束后，归途中，路过吉野。当时正是樱花盛开之时，惠云打算看过吉野的樱花之后，再回京城。

从熊野到吉野的路是山路。

惠云拿一根青冈栎当作拐杖，走着山路。

穿过大峰山，终于要抵达吉野时，在山中闻到一股酒香。

咦——

停住脚步，似乎听见"啪、啪"地敲打硬物的声音。

信步循着声音和酒香的方向走去，发现一棵老山樱，花开正盛。

老山樱下，两个老人正隔着树墩相对而坐，下着围棋。

树墩上放着棋盘，两人各坐一个马扎，"啪嗒啪嗒"地交替下着黑子和白子。

酒瓶一个，里面好像有酒。酒杯两只。

棋盘旁边放着些干枣，他们不时用手指捏一个放进嘴里，不停地嚅动着嘴巴，看来是在嚼枣子。

两人偶尔别过脸，"噗！"地吐出枣核。

两位白发、白髯的老人，身穿大唐风格的道袍。

惠云原本就对围棋有兴趣，于是走近两人，静立一旁注视棋局。

黑子白子旗鼓相当，看来两人实力不分伯仲。

"不要说啊，不要说啊！"

眼里看着，心中不禁在想——要是下在那里就好了，要是下在这里就好了！差一点就说出口。

"不要说啊，不要说啊！"

执白子的老人像是看透了惠云的心一样说道。

"他人下棋也好看的吗？人生苦短哩。"

执黑子的老人说道。

但是，惠云不以为意，只留心棋局的胜负。

一方的酒杯空了，惠云便为之斟满。另一方的酒杯空了，惠云也照样斟满。

"好。"

"好。"

老人点着头，喝起惠云倒的酒来。樱花瓣纷纷扬扬飘落。

以惠云看来，执白子的老人有机会以一目之差定胜负。照这样走下去，应是执白子的老人以一目之差取胜。

如果下一手下在那里的话——

但是，执白子的老人"啪！"地下在了另一个地方。

"啊！"惠云不禁失声叫了出来。

"嘻嘻。"执黑子的老人很高兴地在惠云认为该下白子的地方放了一颗黑子。

"哎呀呀！"执白子的老人眼盯着刚下在那里的黑子，呻吟起来，"咋整的嘛！咋整的嘛！"

执白子的老人额头上汗津津的。

"呵呵。"

执黑子的老人仍旧含笑不语。

"喂！"执白子的老人看着惠云，"就是因为你乱说话，我到手的胜利都溜掉了！"

他是在寻找借口。

惠云的确出声了，但那是在执白子的老人落子之后的事。

"您所说的情况，其实是——"

惠云刚想辩解。

"哼，当然怪你。你'啊'一声，让北斗那家伙察觉我这一手棋下错了。你要是不出声，肯定还有救的。"

"哎，南斗，不管他出不出声，我一开始就看出来了。自己实力的问题，还是别赖别人了吧。丢人哩。"执黑子的老人说。

"哎哟哟。"

执白子的老人不言语了，哼哼两声。

"总而言之，这小子就是话多。"执白子的老人斜睨惠云一眼，说，"把那张嘴给我闭上！"

他拈起一颗枣子，一伸手塞进惠云嘴巴里。枣子的味道扩散到惠云口腔里。

"明白吗？不能吐核！就这样一直含在嘴里。"

惠云吃掉果肉，果核留在嘴里没有吐掉，继续观看棋局。

"哎哟哟。"

"哎哟哟。"

执白子的老人脸色通红，唉声叹气。

"认输吧，认输吧。这次较量我赢啦！"

执黑子的老人说道。

"哎，多亏了你，我输棋啦。"

执白子的老人看看惠云，愤愤不平的样子。

"下次较量赢了，不就行了吗？"

"好吧，千年之后再见。下次的千年之战，等我胜了你，好好看你输棋憋气的样子。"

"输棋憋气的是你哩。真是期待下次的千年之战。"

"好吧。"

"好吧。"

两位老人说着,脚下忽然腾起白云。他们脚踏云朵,悠然浮到空中。

"千年后见!"

"千年后再会!"

两人道别一声,扶摇直上高高的云端。执白子的老人向着南方,执黑子的老人向着北方,各自驾云远去。只撇下惠云一人在那里。

惠云张口结舌,仰望着两位老人消失在天际。

看来,自己是旁观了世外之人的一局围棋。

回味着这番奇特的体验,惠云便伸手去拿脚旁的栎木拐杖。谁知拐杖竟已腐烂,也不知何时变成了那样子。

没了拐杖的惠云走过吉野,进入京城,返回叡山的祥寿院,却见两名不认识的僧人在埋头念经。于是,惠云便对这两名僧人说话了。

情况似乎就是这样。

四

经仁觉和英德多方调查,知道约五十年前,这祥寿院里确实有过叫惠云的僧人。

惠云提及的住持,也是五十年前的住持僧人之名;义明和明实,五十年前确也在这叡山,但他们均已辞世。

至于惠云本人,五十年前因事前往熊野,竟就此一去不复返了。

"没错,那个惠云便是我。"

自称惠云的僧人这样说。

但是,为何时隔五十年后,惠云又回来了呢?

以惠云自己的感觉,他只是去一趟熊野便回来了,离开叡山连一个月都不到。以惠云现在的岁数来看,的确就是他当年离开时的岁数。如果真是惠云,应该有上百岁高龄了。

可是，不管怎么看，惠云都是不到五十的模样。是冒名顶替，还是真是他本人？

如果这位惠云是真的——

俗话说，天界和人间对时间的算法不同，天界一日，即地上一年或者三年。

"他们是驾云离去的，可知是仙人或天界之人吧。我遇上他们下围棋，自以为仅仅过了一时半刻，谁知此上已过了五十年。"惠云说。

"那真是奇遇啊。"

惠云和众人都认同这种说法，于是，惠云便留在了祥寿院。

五

"原来如此……"博雅点点头，又说，"事情的确很奇怪，但也有可能发生吧。"

说完，望一眼晴明。

"巧遇北斗星和南斗星正在下围棋，这种事有可能。"

晴明说得很干脆。

"你说是北斗星和南斗星吗，晴明？"

"从惠云和尚的话来看，执黑子的是北斗星，执白子的是南斗星。"

"但是，先不管那事有多怪，真的是北斗星和南斗星在吉野附近的山中下棋？"

"熊野、大峰、吉野，三者均为灵山。发生什么事都不足为怪。"

"可是……"

"既然惠云和尚那么想，那就是真的。人嘛，即便在同一地点遇到同样的事，感受也不会一模一样。这就看他所带的咒是什么样的咒，感受总会略有差异。"

"又是咒？"

"如果是别人遇到了同样的场面，可能就以为是附近两个老人在下棋而已。"

"我不大明白。"

"没有关系。因为我对此事的真实情况也不甚了解。"

"不过，晴明啊，你为何要特地前往叡山呢？事情不是已经了结了吗？"

"博雅呀，此事似乎还没有解决。"

"怎么回事？"

"这惠云和尚，似乎不会饿。"

"不会饿？"

"他不吃饭。"

据说，不论仁觉和英德怎么劝，惠云自出现时起，就一直没有吃东西。

"可能是因为得遇贵人吧，我肚子不饿。"惠云说。

似乎也不用睡觉，半夜三更仍在念经。

他总是笑容可掬的样子。要说他做的事，就是诵经。

只要有空，他就一天到晚念经。

"催他吃东西，也就是喝喝白开水而已。他下肚的就只有白开水。"

"哦。"

"哎，博雅——"晴明压低声音。

"什么事，晴明？"

"据说惠云喝了白开水之后，站起来时，他原先坐的地板会变得湿漉漉的。"

"莫非他失禁了……"

"所以我打算过去确认一下……"

"是应他们的要求吗？"

"噢，白天仁觉和尚来过这里。因为感觉不对劲，他们希望我过去看看。"

"既是叡山，又是这么点事情，他们那边应该有人……"

"他们说，不想让上头的人知道。"

"为什么呢？"

"和尚也想升官的呀。"

晴明红红的唇边，现出微笑。

"此事还没有向上面报告呢。如果现在处理得当，事情就只局限于祥寿院。置之不理的话，万一出了事可要影响前途了。"

"原来如此。"

"事情就是这样的嘛。"

"那你明天就去叡山？"

"怎么样，博雅，不奉陪吗？"

"我也去？"

"噢，也许能看到有趣的东西。"

"什么'有趣的东西'？"

"去吗？"

"哦，好吧。"

"走一趟！"

"好！"

事情就这样定下来了。

六

短小精悍的惠云面对晴明和博雅，坐在木地板上。

惠云望着晴明和博雅，笑眯眯的。

"我是安倍晴明。"晴明说。

博雅也自报了姓名。

呵呵。呵呵。

惠云微笑着，点着头。

谈话的内容极平常，也就是拉拉家常。

晴明找些天气呀季节呀，当今朝廷呀之类的话题，和惠云闲聊。

提及阴阳道的事也是自然而然。

"那么，晴明大人是贺茂忠行大人的……"

"忠行大人是我的老师。"晴明答道。

有一搭没一搭的对话持续着。惠云说话时吐出的气息中，微微散发出某种果实的清香。

无关紧要的闲聊继续着。

几乎都是惠云在说话。晴明只是随声附和，或者回答他的问题。

不久——

"请拿白开水……"

晴明在谈话中间这么一说，仁觉便起身端来一碗白开水。

晴明喝了一口白开水，博雅也喝了一口。

惠云跟着也喝了一口白开水。

等惠云把空碗放在地板上时，晴明说：

"很抱歉，可以请您退后一点吗？"

"退后？"

"后退一点点就行。稍微后退，然后还像刚才那样坐下。"

按照晴明说的，惠云后退一个身位，又坐下来。

刚才惠云一直坐着的地方——膝头前方的地板上，有一摊水。

"请看那些水。"晴明说。

"这是什么？"惠云笑容可掬地问道。

"是惠云大人刚才喝下的白开水。"

"白开水？"惠云一脸惊讶的样子。

"您还不明白吗？"

"'还'是什么意思？这是怎么回事？"

晴明没有回答。他只是注视着惠云的脸。

漫长的沉默。

忽然——

"呃！"惠云微微动了动双唇。

"噢，原来如此……"

他点点头。

"噢噢，原来是那么回事啊。就是那样嘛。"

他们仿佛茅塞顿开。

晴明眼盯着频频点头的惠云，说道："谈得挺开心吧。"

"没错，挺开心。"

惠云表示接受和理解似的说着，眼神却哀哀地望着晴明。

"谢谢你，晴明大人。要不是你的话，恐怕我永远都不会醒悟过来。"

"您的经历很有意思。"

"再多些读经三昧的日子就好了……"

惠云黯然说道。

"咳，但是，所谓一生，也不过如此吧。"

惠云带着一丝笑容。

"是的。"晴明点点头，又说，"愿您成佛。"

然后俯首致意。

"好的。"

惠云说着，面带微笑。他的笑容随即淡化，渐渐消失无踪。

惠云随即渺无踪迹，他刚刚所在之处，只遗留下一直穿在身上的衣服。

"惠云和尚已经辞世了吧……"博雅说。

"唔。"晴明点了点头。

七

之后的某日，仁觉和英德离开叡山，前往吉野。

他们过了吉野，进入大峰山中，来到晴明所说的地方，只见好大一棵老樱树，开满了花。

老樱树下长着一棵枣树，树龄约有五十年。樱花瓣纷纷散落在枣树上。

两人用带来的铁锹挖开枣树根部，掘出一具白生生的骸骨。

枣树正好从骸骨的口中长出。

东国人遇鬼

一

"多美啊……"

源博雅心荡神驰地说。他手持玉杯，仰望天空。

月亮出来了。

明月悬在透明的夜空，月光洒进博雅坐着的廊下。

置身自天而降的朦胧月光中，博雅一直如醉如痴地自言自语。对月亮的赞美，从他的双唇滔滔不绝地涌出。

这是在安倍晴明家的外廊内。他们在饮酒。

点了一盏灯。

酒杯一空，坐在两人旁边的蜜虫便无声地端起酒壶斟满。

晴明也和博雅一样，坐在月光之中。

晴明背靠一根柱子，任由博雅自言自语。

他似听非听，博雅的声音传入他的耳鼓。

白色的狩衣宽松地裹着晴明的身体，他像听音乐似的，听着博雅的声音。

晴明的红唇带着一丝笑意。

出自博雅口中的叹息与赞美之声，抑扬的言辞以及呼吸，所有的一切，似乎都让他感觉愉快。

离梅雨季节还有一段时间。樱树的绿叶在夜色中摇摆。夜间的大气融汇了花草树木发酵似的气味。

抬头仰望之时，天空越发澄澈透亮起来，明月更添清辉。

夜晚的虚空，仿佛响彻月亮的声音。

"连灵魂也要飞升上天，翱翔在月光之中——这就是我此刻的心情啊。"博雅说道。

"天上好像在奏响我所知道的一切乐音……"博雅仰望天空，再次叹道，"多美啊……"

他把视线从天空收回，转到晴明身上，说："喂，你不觉得吗？"

他深深地叹一口气。

"你说什么，博雅？"

晴明望望博雅。

"那月亮呀——"

话一出口，博雅便摇起头来。

"不，是天地吧。这天地今晚格外美，仿佛渗透了我的胸膛。"

"原来是说这个。"

"什么'原来是说这个'嘛！难道对今晚的月色，你就丝毫不动心吗？"

"动心啊。因为人嘛，既会因咒而心动，也会因心动而生咒。"

"什么？！"

"人因咒而与这个世界发生关系。美呢，不妨说也就是人与这个宇宙发生关系的咒。"

"又得说咒了吗？"

"你听我说呀，博雅——"

"可以听你说，但别把话弄得太麻烦了，晴明。"

"不麻烦啦。"

"那就好。"

"哎，博雅，美是什么？"

"什、什……"

"哦，换一个说法：美存在于何处？"

"你、你说的是什么呀？"

"以月亮为例吧。你刚才说了，月亮真美——它美在什么地方呢？"

"不就在月亮上吗？"

"你说是在那里吗，博雅？"

晴明的红唇浮现愉快的笑容。

"不、不是月亮吗？"

"别急呀，博雅，就来说月亮吧。可是，单纯的月亮也不过只是月亮吧。"

"……"

"举例说吧，博雅，假定世上所有的人、所有的生命，包括你我都灭绝了，会怎么样？"

"……什么会怎么样？"

"我是说，观赏月亮的人都没有了呀。"

"……"

"也就是说，看到月亮而觉得美的心情也好、感觉也好，都从这个世界上消失了。"

"……"

"即便这世上的人灭绝了，月亮还是月亮。它照样跟今晚一样，发出皎洁的光。月亮是存在着，但它的美却和人一道消失了……"

"晴明，你还是把话弄复杂了。"

"我没有。"

"有。"

"好吧，不讨论这个。你听我说，博雅……"

晴明身体略微前倾。

"反过来说吧——月亮要是没有了，会怎么样？"

"什么'怎么样'？"

"没有月亮、没有鲜花、没有星星——这世界上只有你一个人。其他的东西从来就没有存在过。"

"……"

"这样一来，也跟刚才一样，美也就从这世上消失了。"

"那、那就是说，美要存在于世上，必须有观赏美的人和被观赏的东西吗？"

"正是这样，博雅。"

"噢、噢。"

"光有源博雅，没有月亮，就没有美。而光有月亮，没有源博雅，也没有美。有源博雅，又有月亮，美才产生了。"

"……"

"所谓咒，不妨说就是人本身。生命本身就是咒。"

"噢噢。"

"是咒，让生命和宇宙联结在一起。"

"晴明啊，真是不可思议。"

"怎么啦？"

"今晚即使你谈论咒，我也不像往常那样乱成一团。"

"哦。"

博雅仰望月亮，口中嘟哝道：

"这月亮和天地，似乎从没有像此刻这样与我深切地联系在一起。"

"岂不是挺好吗。"

"哦。"

博雅点点头，坦白得像一条小狗。

正当此时——

"咦——"

一直面对月亮的晴明扭过了头。

他屏住气息，向另一边的昏暗处投去探寻的目光。笑容从他的唇边消失。

"怎么了，晴明？"

"有什么东西过来了……"

"是什么？"

博雅追问之时，蜜虫将视线移向庭院深处。大门处似乎有人的动静。

从晴明和博雅所坐之处，看不见大门方向的情况，但听动静，是有人慌慌张张地冲进来了。

此时，传来一声呼喊：

"救命啊！"

是一个男子走投无路的呼救声。

一个行旅打扮的男子，从一旁的黑暗中跌跌撞撞地跑到院子里。

"救救我吧，救救我吧！"

那男子拨开夜露濡湿的野草，向廊下奔来。

他头戴的帽子掉了，结好的头发也乱了，这一切都显而易见。

男子跪在廊前，仰望着晴明和博雅，口中连声呼救：

"救命啊！"

"怎么回事？"博雅欠身问道。

"有东西追杀我呀。"男子说道。

"追杀？被什么追杀？"

"不知道。"

"不知道？"

"很恐怖的东西。我被它追着，跑到了这里。"

男子边说边回头张望。

"这家伙在说什么呀,晴明?"博雅不解地说,"他没有出现的时候,你就说他要来。你该明白吧?"

"不是这样,博雅——"

晴明一边说,一边从木条地板上缓缓站起来。

"什么不是这样?"

博雅也随着站起来。

"我说的,并不是这一位。"

晴明话音刚落,伸至院墙外的枫树和樱树枝杈,像被墙外的一阵风刮过似的,哗哗响起来。仿佛一只肉眼不可见的黑手,在黑暗中把枝叶捋了一遍。

"我说的是它。"晴明说。

"呜哇哇!"

男子弓着腰,双手攀扶着木廊。

"在哪里?!躲在哪里?!"

黑暗中,传来一个令人毛骨悚然的可怕声音。

"是在这里吗?是在这宅院里吗?"

树枝哗哗作响。

"咦,进不去哩。是进不去。有什么东西妨碍着我呢。"

有东西在院墙外恨恨地嘟囔。

"啊,没错,就是它在追赶我。"

男子战战兢兢地说道。

"晴、晴明……"

博雅看着晴明。

"不必担心。它进不了宅子。"

那肉眼看不见的东西似乎在院墙上来回移动,弄得伸出墙外的枝叶晃动不已。

"哼，真气死人，从这边也进不去。"

闹了一阵子，停下来了。

"原想抓住你吃掉的……"

那东西说着令人头皮发麻的话。

"是叫平重清吧？反正我知道你的名字。今晚吃不成你还有明晚，明晚不成还有后晚，我就等着，一直到吃掉你为止……"

没有动静了。

男子双手紧抱着晴明的右脚，浑身发抖。

二

蜜虫连端了三碗水，那男子喝下之后，才说得出话来。

"我的名字叫平重清，住在东国。这次因事进京，不想途中竟遇到了那东西……"

从东国进京，到达势田桥一带时，天色暗下来了。

重清带了三名随从。原打算当天进入京城，但早上坏了肚子，出发的时间晚了。

在附近寻找旅舍，但没有找到。正考虑要露宿时，一名随从在离大路不远的地方，找到了一栋合适的宅院。

宅院和房屋都已荒废，空无一人。这样反而更好，一行人无需客套就可以休息了。

不知是何原因，房子无人居住，但有片屋檐遮顶，免除雨露侵肌，总是好事。

随从们把马系在栏杆上，在廊下的木条地板上躺下。

主人重清在房内铺了皮褥子，一个人睡。

旅途之中，没想到会在这房子里过夜，重清怎么也睡不着。

他让灯火亮着，没有熄灭。一来对这房子完全不摸底，二来半夜万一有事，可以随时起来，于是没有吹熄灯火。

睡不着，眼睁睁躺着，房间的昏黑仿佛透过眼珠进入身体，连身体最隐蔽的部分也充满了黑暗。

慢慢的，重清察觉到一种奇怪的动静。

房间的某个地方传来了"喀哧喀哧"的奇怪声音。

嘎吱。

咕吱。

听见类似爪子抓挠东西的声音。

重清仍旧躺着，转头观察发出声音的地方，看见房间角落的昏暗之中，好像有什么东西放在那里。

在黑暗中使劲地辨认，似乎是一个鞍箱。

原本是收纳马鞍的箱子，为什么会放在这里呢？

而且，声音似乎就是从鞍箱里传出来的。

难道这个鞍箱本来就是搁在那里？

奇怪。莫非我们住进了鬼的栖身之所？

重清害怕起来。

正犹豫着是否逃走，感觉鞍箱的盖子打开了一条缝，有东西从里面窥探着这边的动静。

而且，那盖子正在慢慢地打开。

再不逃就要出大事——重清这样想。

可是，忽然起身就跑的话，那东西也许会立刻从鞍箱中冲出，一把把自己抓住。

"马匹无恙乎？"

那些马真让人不放心，我去看看吧——重清自言自语着，起来了。

"我出去看看。"

重清起身走到外面，月光下，看见自己的马系在那里。

他悄悄给马上了鞍，矮着身体跨上马时，背后传来一个声音：

"喂，上哪儿去？报上名来！"

"我是平重清！"

他不假思索地回答后，才醒悟随从不会问自己的名字，肯定是鞍箱里的东西在发话。

他明白鞍箱的盖子已经打开，有东西从里面出来了。

"伙计们，快逃啊！"重清大叫。

"这里是鬼屋啊！"

他往马屁股上抽了一鞭，马立即跑起来。

他策马狂奔。随从们怎么样已经顾不得了，连回头看一眼的工夫都没有。

重清明白后面有东西紧追不舍，追的速度和马跑得一样快。甚至听得见对方的喘息声。

嘎吱。嘎吱。

甚至能听见类似咬牙切齿的声音。

"君欲何之？宁不知吾在此耶！"

你能逃避到哪里呢？不知道我在这里吗——一个令人恐惧的声音传过来。

全身汗毛倒竖。重清不觉回头望去。

夜色中看不清楚对方的模样。在月光下看去，是很大很黑的一团——

"其可怖处无可比拟。"

它那令人害怕的模样无法形容。

"妈呀！"

重清叫唤一声，举鞭猛抽马的臀部。马狂奔起来。

前面就是势田桥了。

可是不知马绊到了什么，马失前蹄，向前摔倒，把重清抛了出去。

重清的身体狠狠地摔在地面上，但他立刻爬起来。

马却没有爬起来，也许摔断了腿。

眼前就是势田桥。

重清一纵身跳到桥下，隐身在一根柱子背后。

这时候，桥上有些动静。一个声音传过来：

"我知道你逃到这里下马啦，躲藏起来啦。"

重清知道，一旦被找着将大难临头，只得压低声音，口中拼死念着唯一记得的《观音经》。

观音菩萨，救救我吧——

"藏匿在桥下了吧。"

上面传来声音。看来，那东西正在窥探桥下的动静。

重清心想，这下完了！

此时，桥下另一个地方传来了声音：

"请等一下，我这就出来。"

咦，是什么人？除了自己，还有别人也藏身桥下吗？

"真的在下面哩。"

是令人毛骨悚然的声音。

感觉有人从前面的河堤上去了。

"呵呵，出来了嘛，你这家伙！"

打雷般的吼声在头顶上响起。看来那东西扑在上桥的人身上了。

接下来——

嘎叽。

嘎叽。

喀啦喀啦。

喀啦喀啦。

传来牙齿的咬嚼声。

看来，代替重清从桥下出去的人被整个儿吞噬了。

不知那人是谁，幸亏有他，重清才捡回了性命。

对不起了，但我必须借此机会逃生。

重清游到河对岸，悄悄向京城的方向赶去。

不一会儿，他看到了一匹马。就是自己刚才一头栽倒、眼看不能动弹的那匹。

重清连连称幸，急急上马策骑。

"哎呀，在那边哪，重清那家伙！"

那东西察觉到马匹跑动的声音。

"别想逃！"

那东西很快就追近了。重清挥动鞭子，拼命催马奔跑。可是，马伤了脚，速度大不如前。

"这碍事的马！"从后面传来声音，"要不先吃掉马吧。"

重清已经绝望了。但他还是拼命策马奔逃。

跑着跑着，马的步伐也慢下来了。

不过，那穷追不舍的东西看来也累了，没有马上就扑上来。只是相互间的距离越来越短了。

呼。

呼。

追赶者的气息越来越近。仿佛是在往重清的脖颈上哈气。

"呵呵。"

笑声从重清身后传来。

"抓住你啦。"

话音刚落，马的速度骤然慢了下来，是臀部被抓住或被咬住了吧。

重清又一次从马上摔到前面去。他爬起来，拔腿就跑。

心想，马上要被追上啦！可是，那东西没有扑上来。

身后传来马的哀鸣和兽齿撕扯肉的声音。

嘎吱！

嘎吱！

是野兽啃咬肉的声音。

呼哧！

呼哧！

是吸食血肉的声音。

喀啦喀啦。

喀啦喀啦。

是牙齿咬碎骨头的声音。

重清头也不回地逃。

不知道随从们怎么样了，此刻只顾得上自己拼命逃出生天。

趁着那东西吃掉马的机会，重清拼命跑，终于进入京城了。但处处都是大门紧闭，不见灯火。

重清没有力气跑了。他像爬似的跟跟跄跄往前走。

身后传来了那个恐怖的声音：

"在哪里？"

"他在哪里？"

"我能嗅到你的气味哩，重清。"

"应该是这边。"

"噢，你走的这边嘛。"

声音越来越近。

重清跑起来，但速度和步行几乎没有区别。

心想"完了"的时候，猛然看见前面隐隐约约出现了灯火。

是围墙内的灯火，从庭院内的松树、枫树的枝叶间隙，隐隐约约地透出来。

"这月亮和天地，似乎从没有像此刻这样与我深切地联结在一起。"

人的说话声也从围墙内传了出来。

重清拼命向大门口跑去，大门竟然是敞开的！

带着谢天谢地的心情，他冲进大门。

三

"碰巧这里是安倍晴明大人的府邸啊……"平重清说道。

"原来如此。"晴明点点头。

叙述中间，重清好容易缓过气来。

"我已经得救了吗？"

"今天晚上是的……"

"它说了还会来，真的还会来吗？"

"恐怕还会来。"

"可是，我该躲到什么地方，才……"

"即便你藏匿起来，也终会被找到吧，因为它就是那样的东西。"

"真的呀。"

"被喝问时你不该报出姓名。拿一个假的姓名说出去就好了。"

"……"

"因为你报了名字，你和那妖物之间，便结成了咒。"

"啊啊——"

重清忽然恍然大悟般想到一件事，问晴明：

"对了，我的随从不知会怎样呢？"

"离开那所宅院就没事了。"

"我今后该怎么办才好呢？"

"今天晚上就住在我这儿吧。这也是一种缘分。如果我能对付得了它，明天就试试看。"

晴明转向博雅，问道：

"怎么样，博雅，走一趟？"

"走一趟？去哪里？"

"平重清大人住过的宅院呀。"

"去了又怎样？"

"噢，怎么处理呢？唉，留着明天想吧。"

"好，好。"

"怎么样，去吗？"

"好。"

"走一趟吧！"

"走！"

事情就这样定下来了。

四

第二天早上——

晴明掌心里托着什么东西，自得其乐地打量着。他嘴里自言自语，频频点头。

博雅望过去，见晴明左掌上托着好几根黑色兽毛。

"那是什么东西呀？"

"今早蜜虫送来的。"

"蜜虫？"

"我让她到昨晚妖物来回窜过的围墙上找找看，果然不出所料，找到了这些挂在枫树枝上的毛发。"

"是什么东西的毛？"

"这个嘛……"

晴明一边饶有兴趣地微笑着，一边吩咐蜜虫：

"蜜虫，备笔墨——"

"你要做什么？"

"噢，稍后再从容地讲。此刻我也不大清楚那东西的真身是什么。"

"你不知道？"

"所以嘛，现在就要查一下。"

蜜虫将笔墨纸砚准备就绪。

"喂，博雅，如果我没有记错的话，在势田桥建成时，应该有广泽的宽朝大人参与其事吧？"

"对，是早在十六七年前的事了。"

"十六年前嘛。"

晴明挥毫在纸上刷刷写了些字，然后说：

"蜜虫，请把这张纸送往广泽的宽朝僧正大人处。"

他把纸递给蜜虫，吩咐道：

"你跟他说，我晴明正午过后在势田桥专候他的答复。"

蜜虫点点头，静静地出门而去。

晴明又挥笔在新的纸上写下许多动物的名字。

犬。

猫。

牛。

马。

鼠。

猪。

鸟。

"你这是干什么？"博雅问道。

"不是说了稍后才讲嘛。博雅，你也做好出门准备吧。我们要骑马去……"

"骑马？"

"噢。庭院那边，吞天应该已经备好马了。"晴明说。

五

他们出了京城，在前往势田桥的途中，看到一群人在围观什么。

催马靠近看看，从马上越过人头探视，见一匹马倒在血泊中，已经死去。马的内脏全都没有了。

"那是我的马。"

平重清那么一说，人群中有人喊叫：

"是重清大人！"

"重清大人，您平安无事啊！"

"重清大人！"

三名男子走上前来。

"啊，是你们呀。"

这三人正是重清的随从。

重清下马询问三人的情况，得知昨天晚上自己骑马离开之后，屋内刮起一阵不祥的黑风，尾随自己而去。

"快逃啊——"

因为重清喊了一声，三人便连忙离开了那所宅子，到外面露宿。到了早上，他们一边寻找重清，一边向京城走来。

他们过了势田桥，来到这里，看见了这群围观的人。

一看，是重清的马，内脏被吃掉了，死在这里。重清却不见踪影。莫非被鬼吃掉了？

三人说，他们正担心主人的安危之时，听见了重清的声音，连忙上前问安。

"总而言之，大家都平安，比什么都好。"

重清命随从替马尸善后，又吩咐：

"办完事之后，你们先入京城等我。"

"那重清大人呢？"

"我嘛，还得给自己善后。详情以后再说。"

于是，晴明一行继续向东进发。

六

晴明一行在势田桥下马，立于桥上。马匹系在河堤的柳树上。

晴明、博雅、重清——

还有穿旧藏青色小袖的吞天。

吞天原是广泽的宽朝僧正所在的遍照寺水池中的龟。现在有缘成了晴明的式神。

势田桥架在势田川之上，河水自琵琶湖流出。在他们脚下，河流湍急。

昨晚，重清便藏身于桥下的柱子后面。

"昨晚我直发抖，心中已经绝望了，但现在和各位在一起，又是大白天，所以心情还算平静。不过一回想起发生在这里的事情，我还是后怕……"重清说。

"现在您不必有任何担心啦。"

晴明说着，琵琶湖吹来的风抚弄着他的脸庞。

"我们在这儿干什么呀，晴明？"博雅问。

"等啊。"

"等什么？"

"等宽朝僧正大人的字。"

晴明抬头望天。蓝天无垠。

此时——

"来啦！"晴明说道。

"来了？什么来了？"

博雅的目光看向晴明仰望的西面天空，看见一个飘浮的东西。那东西渐渐向着这边下降。

"我不是说了嘛，是宽朝大人的字。"

那东西缓缓地自天而降，悬浮在晴明胸部的高度。

一看，是一个旧木钵，放了一张折叠的纸。

等晴明取出那张纸，旧木钵又飞升到空中，向着西面飞走了。

晴明打开纸条，读毕，说道：

"原来如此。我们下到河滩上吧。"

晴明一声招呼，大家便从河堤走下河滩。

"吞天，你在第三根柱子下，往下挖地三尺看看！"晴明吩咐道。

吞天搬开河滩的石头，开始挖掘第三根柱子的上游一侧。

"晴明，那是干什么？"博雅问。

"我向宽朝大人要了字啦。"

"字？"

"这里埋了千手观音。"

"千手观音？"

"是十六年前，架设这条桥的时候埋下的。"

"你说什么？！"

"因为桥总被冲走，当时有这样一个说法：要弄一条人柱子才行。宽朝大人制止了这个做法，用一个铜制的千手观音菩萨像作为代替，埋在这里。"

"噢噢。"

就在博雅说话之时，吞天发出低沉的叫声。

果然，在柱子下挖出了一个婴儿大小的千手观音像。一看，这铜像身上到处都是被啃咬的牙齿印。

"它昨晚做了你的替身，被妖物吃掉啦。"晴明说。

"是这个铜像——"

重清拿过铜像，说道。

"没错。"

"我情不自禁地抱着柱子念诵观音经，没想到因此得到菩萨保护……"

"应该是这样吧。"

重清郑重其事地把铜像放在河滩上，双手合十。

"吞天，你小心地把铜像重新埋好。"

晴明望向博雅。

"好啦，我们去下一站吧。"

"下一站？"

"重清大人昨晚住的宅子呀。"晴明说。

"噢、噢噢。"

"在此之前——吞天，你完成这件事之后，再替我办一件事吧。"晴明对正在埋铜像的吞天说道，"我给你些钱，你在附近弄五六只猫来吧。"

七

带着搜购来的猫站在那所宅院前时，已近黄昏。

"真的不会有事吗？"

重清毕竟心有余悸，难掩怯色。

"没关系。"

晴明若无其事地答道。他手持灯火，进入宅子。

这是一个完全荒废的院子，野草疯长。跟晴明的庭院完全不同。

博雅和重清紧随其后。吞天背着一个大筐，跟在三人后面。

天色已微暗。如果进入房子里面，就跟置身于黑夜一样了吧。

晴明回过头来，问重清：

"能一起来吗？"

重清大惊失色，但仅仅一瞬间，他便醒悟似的用沙哑的声音说：

"来，我也来……"

众人走上木条地板，踏着吱吱作响的木板进入房间。

"就是这里。我昨晚在这里……"重清说。

移灯察看，那里铺着一块鹿皮褥子。

"是那个吗？"

晴明望向房间的一角，说道。那里放着一个大大的旧鞍箱，盖了盖子。

"是、正是。"

重清的身体不禁瑟瑟发抖。上牙碰下牙，咯咯作响。

此时——

"好大味道哩……"

鞍箱中传出一个闷闷的、令人害怕的声音。

"这股味道，是昨晚那个平重清的……"

鞍箱的盖子开始微微地开开合合。

"再等一等，再暗一点，就出来吃掉你。"

鞍箱里，传出什么东西在微微转动身体的声音。

晴明用眼神示意，吞天便把背着的大筐卸在地板上。

"这是怎么回事？"妖物说。

"不是一个人哩。"

鞍箱嘎嘎作响，盖子被顶开了。

"已经是晚上啦。把你们一块儿吃掉吧。"

鞍箱的盖子吱吱响着，打开了。

"哇！"

重清一声惊呼，飞奔逃走。

"等一下！"那声音喊道。

话音刚落，晴明对吞天说："快！"

吞天打开了大筐的盖子。从筐里跃出七只猫。

"快走，博雅！"

晴明拉起博雅的手。博雅紧随晴明冲出屋子。吞天跟在他们后面。

他们赶上之前出来的重清。

"晴明大人？！"

重清紧紧抱住晴明不放。

"没事的。我们暂且在这里观察动静。"

晴明在草丛中停下脚步，回望屋子的方向。

屋里似乎正进行着激烈的搏斗。

猫叫声、不明正身的野兽的呻吟和嚎叫声，从里面传出来。

东西倒地的声音。

抓挠的声音。

这样的声音持续了一段时间，不久，安静下来了。

"那么，我们进去看看吧。"晴明说。

手持灯火的晴明率先踏上廊子，进入屋里。博雅、重清、吞天跟在他身后。

进入房里，晴明举灯查看。

地板上血迹斑斑。肉块、兽毛粘在柱子和地板上，到处可见。

"不出所料嘛。"

说话的是晴明。

"这是——"

"怎么会——"

博雅和重清发出惊呼。

地板上躺着一只血肉模糊的老鼠，有小牛般大，已经气绝身亡。

七只伤痕累累的猫正在吃老鼠的肉。

"那妖魔鬼怪的正身，原来就是这只大鼠呀。"重清说。

"是的。"

晴明点点头。

"所谓'活到四十年，老鼠也会说人话'吧。这只长生不死的老鼠，就住在这个宅子里作恶多端。"

"就是这样吧。"

晴明俯视着大鼠说。

"不过嘛,晴明——"说话的是博雅,"你一开始就让吞天预备了猫,也就是说,你早就知道它的正身是老鼠?"

"大致上吧。"

"你是怎么知道的呢?"

"今天早上,不是在围墙上找到了兽毛吗?"

"对对。"

"我试着在上面下了咒。"

"试着下咒?"

"我在纸上写了各种动物的名字,把那兽毛往上面丢了好多根……"

"……"

"其他动物的名字上都落下了兽毛,唯独猫字上一根也没有。"

"原来是这样。"博雅叹服地说。

"好,我们回去吧,博雅。到家时,应该已经明月高悬了。我们可以接着昨晚的酒,继续喝啦……"

晴明说着,面露微笑。

觉

一

蓝光在黑暗中忽闪。萤火虫飞舞。

一只，两只。

水池上方，萤光点点。

池面上飞舞的萤火虫，不时向廊下飞来，在对饮的晴明和博雅平视的高度闪亮。

"真是无从捉摸、转瞬即逝啊，晴明。"

博雅举杯欲饮，出神地叹道。

喝干杯中酒之后，博雅又冒出一句：

"这萤火虫的生命，真是短暂啊……"

晴明红唇上带着一丝若有若无的笑意，静静地饮酒，似听非听，似颔首又非颔首。

"露子小姐说过，这萤火虫嘛，小时候的模样与成虫大不相同，是栖息于水中，吃贝类长大的哩。"

"……"

"离开水飞到地面上，这样闪着光，充其量也就十天工夫……"

一盏灯火。

灯光之中，放在木条地板上的酒壶映着火光，红红的。

博雅拿过酒壶，给自己的杯子斟酒。他放下酒壶，又取杯在手，叹道：

"越是无常之物，越是惹人爱怜……"

二人的一旁，坐着身穿唐衣的蜜虫，她不时为空了的酒杯斟满酒，但晴明也好，博雅也好，几乎都是自斟自饮。

萤火虫在夜的黑暗中闪亮一下，随即消逝。

用目光捕捉这转瞬即逝的萤光飞舞的线路，这刚熄灭的萤光，却又出人意料地在另一个地方闪亮了。

夏日的鸣虫在草丛中沉着地吟唱。

"是心呢，还是魂呢……"博雅嘟哝道。

"怎么啦？"晴明小声问博雅。

"我想起来了，据说有位小姐把萤火虫比喻为魂，吟诵了和歌——"

"哦？"

"是这样的一首和歌——"

博雅悄声吟诵他回忆起来的和歌：

> 池泽点点萤火虫
> 应是我身之幽魂

"据说是到贵船参拜时吟诵的。"

"是参拜贵船，为一男子薄情而咏吧。贵船这地方，净是些可怕的事情。"

"不谈那种事啦，晴明……"

"好像还有应答之作？"

晴明像是没听见博雅的话似的，问道。

"你很了解嘛，晴明。"

博雅说着，又吟诵了应答之作：

　　山林圣地伤神处
　　魂魄出窍恰如萤

"据说这位小姐吟诵和歌之后，不知从何处传来一个寂寞的声音，吟诵了这首和歌。"博雅说。

"噢，就是和歌所说的那样子吧。"

晴明望向博雅，说道。

"'和歌所说的那样子'是什么意思？"

"不仅是在深山老林，若在神圣之地思绪纷繁，魂就会像萤火虫那样，脱离躯体，跑到身外去了。"

"这是怎么回事，晴明？"

"看样子，你还没有听说纪道孝大人、橘秀时大人的事啊？"

"有啊。听说二位得了某种精神上的疾病，那是怎么回事呢？"

"觉嘛。"

"觉？"

"对。"

"什么意思？"

"属于唐土的妖魅一类吧。"

"妖魅？"

"噢，你听我说，博雅——"

晴明说着，将杯中酒一饮而尽，把空杯放在木条地板上。

"五天前……"晴明说，"最初出事的是源信好大人和藤原恒亲大人。"

"最初？"

"他们去了那所道观嘛。"

二

那所道观建于五条大路和六条大路的正中间。

而他们两位前往那里——

"为的是《白氏文集》呢。"晴明说。

"《白氏文集》？"

"没错。"晴明点点头。

《白氏文集》——即收入唐代大诗人白乐天诗作的书。说白了，就是诗集。

"书中有一首《寻郭道士不遇》的诗……"

"对、对。"博雅点头。

要想供职宫中，通读《白氏文集》是事先的必备功课。博雅当然也读过《白氏文集》。

不妨说，白乐天的《琵琶行》、《长恨歌》等是跻身宫廷的基础教养。

那首《寻郭道士不遇》，题意是某日白乐天往访郭道士，没有见到本人，只得返回。原诗如下：

> 郡中乞假来相访，
>
> 洞里朝元去不逢。
>
> 看院只留双白鹤，
>
> 入门唯见一青松。
>
> 药炉有火丹应伏，
>
> 云碓无人水自舂。
>
> 欲问参同契中事，
>
> 更期何日得从容。

"那首诗又怎么样呢？"

"诗中所谓'院'，是指道观……"

道观——即道教的庙宇，道士在那里生活、修行。

当晚，信好和恒亲二人在某处一边对饮，一边谈论白乐天的诗。

二人谈到这首《寻郭道士不遇》。

与白乐天其他的诗作，例如《长恨歌》或《琵琶行》相比较，这首诗并不特别有名。但是很偶然，对于此作的诗意，二人竟然各持己见。

白乐天往访郭道士居住的道观时，郭道士究竟在还是不在呢？

"郭道士在道观里。"源信好持此意见。

"不，他不在。"这是藤原恒亲的主张。

当时，白乐天年约四十有余，官居江州司马。虽说是政府官员，却是闲职。

"乞假——"

也就是说，虽然从词意来看，是特意请了假前去拜会郭道士，但他有的是自由时间，不必郑重其事地写成"乞假"。

可是，前往道观一看，理应比政府官员空闲的郭道士，却是忙碌得不见身影。所以，白乐天见不着郭道士，便回来了——为此作了这样一首诗。

"明白吗？所谓'药炉有火丹应伏'，不是说正要炼丹，正处于最忙碌的时候吗？比如说吧，恒亲，假定你正为做饭作准备，生起火，汲了水，准备就绪之际，你会外出吗？"

"这不正是说，出了比这还重要的急事吗？"

"恒亲，你这人不懂诗。"

"你说什么？！"

"郭道士也许有事离座了，但还在道观之中。这一点白乐天当然明白。虽说白乐天身居闲职，但自己在工作时间来会道士，不免自觉惭愧，这才未见而返——不是吗？"

"既然惭愧，为何还着意写下来？"

"不正显示了白乐天大诗人的才华吗？"

"这叫什么才华！"

"惭愧之时，则直书惭愧之意，不是再正常不过吗？下面写了'更期何日得从容'，这不是宽广的情怀吗？他有意以超然之笔写自己深信再会有期，骨子里却暗嘲自己的那副模样，这些你都不明白吗——"

谈着谈着，恒亲冒出一句：

"不过话说回来，我们京城内也有道观呢。"

"什么道观？"

"没错，不知道那是不是真的道观，但在六条附近的马代小路上，肯定有一座大唐风格的青瓦顶大宅。"

"噢。"

"怎么样？要不我们到那里走一趟？在那里重开现在的争论，这才是风雅之道嘛。"

"我想起来了，的确有过那样一所大宅院，但听说现在已无人居住，荒废了。"

"哦。"

"我还想起一个说法：似乎那道观里出了不祥之物，所以人们都避而远之。"

"避而远之不是很正常吗？既然无人居住荒废了，谁还特地去呢？"

"可是……"

"不必胆怯，我可不是要你独自去，是说我去，所以你也去吧。"

被恒亲说到这个份上，信好只好硬着头皮去了。

"既然如此，走吧！"

二人分乘两辆牛车，带着各自的随从，走夜路前往那所道观。

到了一看，土墙已多处崩塌，里面夏草疯长。

幸好是个月明之夜，从朽坏的大门往里探看，隐约可见大唐风格道观的影子。

信好也好恒亲也好，在乘车颠簸至此的路途中，热乎劲已消失不少。大话已说出，但即便是恒亲，事到如今也没有情绪要在这荒废的道观里找个说法了。

就这样算了，各自回家睡觉吧——真想这样说。

但事到如今，要从自己嘴里说出这句话，却使人颇犯踌躇。随从们也在场，就此走掉，面子上挂不住。这种事必为宫中风闻。

去是去了，二人都是胆小鬼，未曾入内即逃归——被这样传来传去，也真烦恼。

真为难。信好也好，恒亲也好，都僵立门前。

"你们进去看看里面的情况。"

从随从里挑选二人，让他们手持火把进入门内。但是，总不见二人返回。

一刻钟、两刻钟过去了，二人还是没有回来。在外面高声呼喊，也没有回音。

原打算再派随从入内了解情况，但信好、恒亲带来的随从加起来，合共四人。因为已派两个随从入内，剩下的只有两人了。

如果再派这两人入内了解情况，这里就只剩信好和恒亲两个了。

随从不愿进去，两人勉强说服其中一名，答应找到先前那两名随从，就有褒奖。

然而，这名随从也是有去无回。剩下的三人一齐高声呼喊他的名字，但没有回应。

正在惶恐无助之时，月已倾斜，东方的天空微微发亮了。

到了早晨，四周明亮起来了，派剩下的随从入内查看，发现先前入内的三人竟然都平安无事。

据说，三人傻傻地站在庭院的草丛中，身上毫发无伤。

只是，三人都像丢了魂，喊他们的名字，他们也好像不知道那是自己的名字。

"好像都变成了刚诞生的赤子。"晴明说。

"赤子？"博雅问。

"就是说，除了'是人'这个咒之外，任何咒都已从三人身上消失了。"

"又是咒？"

"三人是饭来则张口，入厕则大小解，但不带他们如厕，他们随地就来……"

"哎呀呀。"

对于晴明所说的事情，博雅除了惊叹无话可说。

"三人大概都被鬼摄走了魂吧……"

"那——晴明，纪道孝大人和橘秀时大人，也都去那道观了？"

"他们也去了。"

"他们究竟为何要做那样的事……"

"他们从源信好大人和藤原恒亲大人那里听说这件事了嘛。"

"如果听了，就不该去了吧？明明听说了，为什么还要去呢？"

"听说了这件事，道孝大人和秀时大人取笑了信好大人和恒亲大人一番。"

"胆小鬼。"秀时首先开腔。

"没错。"道孝附和。

"为什么不马上进去救人？如果去得早，说不定随从们就不至于那样子。"

"你们在外头心惊胆战、身子发抖，一直抖到了早上吧？"

恒亲和信好被人说成这样，实在受不了。

"哪有什么身子发抖！"

"那种场合，任谁都一样。"

"二位大人如果在现场，肯定也跟我们一模一样。"

二人如此分辩。

"不，如果是我们，哪会胆怯到那种地步！"

"没错。"

"那么，二位不妨亲自试一试。"

"对呀，就你们二位，去那道观试试，如何？"

"怎么样，你们敢去吗？"

信好和恒亲这么一说，道孝和秀时也不甘示弱：

"敢去。"

"嗯。"

道孝和秀时也答应下来了。

"结果就成了那个样子。"晴明说。

"接下来，道孝大人和秀时大人就前往那所道观了？"

"对。"晴明点点头。

三

信好和恒亲也一同前往。

乘四辆牛车，四人带着随从向西进发，傍晚时分，来到那所道观前面。

夕阳西下，四周开始暗下来。

"哎，很快就到晚上啦。"恒亲说。

"马上就要暗下来了。"信好说，声音里透出几分得意。因为他们知道秀时和道孝害怕了。

"哦、哦。"

"好、好。"

秀时和道孝神色凝重。

信好和恒亲一边窥探着二人的脸色，心里头偷着乐，一边添油加醋地起哄：

"暗一点再进去吧。"

"还要一视同仁，可不能一只脚刚踏进门，马上就返回哟。"

"对呀，得在道观里面放下一个东西作为物证。"

"对，好主意。"

"正好，这里有一条绑书箱的带子。"信好从怀里掏出一条红带子，"烦请二位进了道观，把这带子系在一根柱子上。"

"明早再派人去查查，看道孝大人和秀时大人是否真的进去了。"

道孝和秀时有气无力地答应：

"好，就这么办。"

"好吧。"

道孝也好秀时也好，一时兴起说得豪气万丈，一旦真的面临这种场合，就没有劲头了。他们盘算着，只要找到好理由，就不去了。

就是信好和恒亲，心情也颇复杂。

对他俩来说，最好是道孝和秀时放弃进入道观。如果道孝和秀时真的在催逼之下进入道观，再平安无事地返回，就轮到自己成为笑柄了。

四周已暗下来，夜幕降临了。预备好的火把熊熊燃烧。

"可，可是……行吗？"道孝说。

"什么'行吗'！"恒亲说。

"如、如果我们当真进去了，把带子绑到柱子上再返回来，脸上无光的是你们。"

恒亲和信好被道孝说中痛处。

"很、很好嘛。"

信好的回答也是逞强。

这一来，任何一方都没有退路了。

于是，道孝和秀时二人真的穿过大门，进入了庭院。

四

西京——

即使在白天，也看不见几户人家，到处是小树林。

今天晚上，除了自己一行，没有其他人的动静。

进入道观一看，夏草覆地，知风草、乌蔹莓等齐腰高，必须分开草丛才能走动。

"喂，喂——"

道孝招呼走在前面的秀时。

"怎么啦？"

秀时停下脚步，回头看道孝。

秀时手持火把，道孝怀中收着带子。道孝望着秀时，他的脸孔很可怕，脸颊绷紧，在火把下看来简直不成人样。

"你别那副模样。"秀时说。

"模样？"道孝的脸越来越走样。

"算了算了，你想说什么就说吧。"秀时说。

"你、你不害怕吗？"道孝问。

"别说出来。"秀时说。

"为什么？"

"因为一旦说了，就真的害怕起来了。"

"嘿，你也害怕嘛。"

"怕呀。我什么时候说不怕了？"

"啊，我放心了。"

"你把我弄害怕了，自己就安心了吗？"

"胡说什么呀。"

"因为知道同行者比自己还害怕，自己就不怕了。"

"哪有这样的事！"

"可是，你刚才不是说'放心了'？"

"是说了，可不是你说的那个意思。"

"你是什么意思？"

"我是说了放心了，但并非为了要说这么一句话，才特地问你怕不怕。"

"行啦行啦。"秀时说。

"让我害怕的，是你那副脸孔。"

"你的脸也很可怕呀。"

斗完嘴，二人的脸一下子僵硬起来，仿佛有一只看不见的冰凉的手抚着后背。

二人强咽下就要冲口而出的哀鸣，面面相觑，沉默了。

像无法承受这种沉默似的，道孝说："走，走吧……"

可是，脚下却动弹不得。

二人的衣裾已吸满了凝于草叶上的夜露，沉甸甸的。

正对面，看得见道观建筑的影子。月光洒在荒废的庭院里。

"回、回去吧？"道孝说。

"到这里就往回走，只会被那两个人耻笑。"

秀时又转向道观的方向，挽起湿冷的衣裾，迈步向前。

在他背后，道孝说话了："你、你去不了的。"

"你想说什么？"秀时边走边答。

"都因为你取笑他们两个，结果把我也……"

"不要怪别人，听了他们俩的怂恿就说要来的，不正是你吗？"

"是你说要去的。"

二人边走边说，道观已在眼前。

"就是它了。"

就在秀时说话之时——

"哎——"

响起一个声音。既非秀时的声音，也非道孝的声音。

秀时回顾道孝，问道：

"你刚才说话了吗？"

"我没说话。说话的不是你吗？"

"不是我。"

正当此时，又响起了那个声音：

"哎——"

二人循声望去，只见在瓦顶和屋檐均已腐烂坍塌的外廊内，朦朦胧胧有一个白影。

"那、那个……"

"是个女人。"秀时说。

一个女人站在那里。

一个白衣女子站在腐烂的木条地板上，望向这边。

"你们害怕了？"

就在二人要惊呼一声、拔腿逃跑之际，白衣女子低声细气的一句话，仿佛夺去了他们惊叫的机会。

女子声音清脆。二人出声不得，沉默地僵立于草丛中。

"刚才想逃跑了吧？"

那女子说着，从木条地板上飘然而下，向这边走来，越来越近了。

秀时不觉倒退半步。道孝双膝发抖。

对了，应该带刀来的。带把刀——

"想用刀劈我吧？"

那女子又说。说话间，她已经站在跟前。

如此快！不会是世上之人。

连拨开野草的声音都没有。

"我不是世上之人——是这样想的吧？"

女子对秀时说。

秀时知道自己的身体在发抖。为何这女子知道自己的所思所想呢？

"为何自己正想着的事情被人家知道了——是这么想的吧？"

句句被她说中。该怎么办呢？

"是在想'该怎么办'吧？"女子笑道。

来人呀，救命啊——道孝想。

"来人呀，救命啊。"

女子边笑边说。

不进来就好了。

不进来就好了。

都是这小子不好。

都是这小子不好。

不作无聊的逞强就好了。

不作无聊的逞强就好了。

呜呜——

呜呜——

来人啊。

来人啊。

此时——

秀时手上的火把爆出火星，迸飞的火星子烫到了脸颊。

"好烫！"

秀时情不自禁地丢下火把，以手抚颊。落地的火把滚到女子脚下。

"啊！"女子低低喊了一声，倒退几步。

就在那一刻，秀时和道孝的身体可以随意动了。

"哇！"

"哇！"

二人大喊一声，两手拨开齐腰高的草，游泳一样冲到大门口。

当秀时和道孝脸色苍白、连滚带爬冲出大门时，信好也好恒亲也好，不觉刷地后退几步，早把取笑对方的事抛诸脑后。

"出来啦出来啦！"

"是个女人！"

"是妖女。"

"好可怕呀。"

秀时和道孝喊叫完之后，趴在地上，就一动不动了。

五

"自此之后，秀时大人也好，道孝大人也好，精神上都有问题了。"晴明说，"二人回家之后，家人在多方询问之下，好不容易才知道了所发生的事情。他们好歹恢复到了生活能够自理的程度，但总是一整天都或坐或卧，不出家门。"

"是这样。"博雅点头。

"据说有时连家人也认不出，从前的事情几乎忘得一干二净。"晴明说。

"喂，晴明，你一开始提及的觉，和这件事有何关系？"

"他们在那道观里遇上觉了。"

"他们所遇的那个女子，就是觉吗？"

"对，就是这样。"

"所谓'觉'，究竟是什么呢？"

"据说，是一种生活在山里的妖魅。"

"妖魅？"

"有人说，这种妖魅来自唐土，其实我们国家也有，到处都有。那种被称为'回声'的东西，也属觉类。"

"噢。"

"觉识读心术。"

"什么？"

"与其说'读'，可能说'吃'更好吧。人在想什么，觉能知道。在接二连三地被觉说中心中所想的时候，人的心最终就变成空壳了。"

"那么，是恒亲大人和信好大人的随从最先进入道观的，他们也在那里遇到觉了？"

"应该是吧。"

"道孝大人和秀时大人与最先那三人相比，生活多少还能自理，这就是说——"

"是因为他们在心思尚未被全部说中之前，得以逃走之故吧。"

"对对。"

"因为你一思考，心思便被说中，几乎不可能反击觉，但秀时大人被火星烫到了脸，不自觉地丢下了火把。好在发生了这件事啊。"

"哦。"

"在唐土，也有人因发生意想不到的事击退了觉。"

晴明向博雅讲起了这样一件事。

一名住在山里的男子，在家门口编织筐子。

他察觉到眼前有只奇怪的动物。

猿猴般大小，身形也酷似猿猴，脸孔却是人。

四目相对。这时，猿猴似的动物说话了。

"你在想，有只奇妙的动物吧。"

男子被它说中心思，大吃一惊。它为何知道自己的心思呢？

"你在想，它为何知道自己的想法吧。"

又被说中了。啊啊，这是传说中的觉吗？

"你在想，我就是那种觉吧。"

什么都被它说中，男子恐惧起来。

事到如今，拿起身边劈竹子的柴刀，抽冷子劈过去吧。

"你打算用那把柴刀杀我，对吗？"

又被它说中了。男子不知如何是好。

照此下去，自己要被这只觉吃掉了。

"哈，你想我吃掉你呀。"

就在觉一纵身跃过来时，男子害怕极了，不觉手一抖，原先为编竹筐而压住的竹条离手而去。

弯曲的竹条从男子手中弹起，打中了觉的眼睛。

"哎哟！"

觉按住眼睛，跳开了。

"哎呀呀，人有时竟会做出没想过的事！凭这一点，人太可怕了。"

觉说完，逃归山中。就是这样一个故事。

"你看怎么样，博雅？"晴明问。

"什么怎么样？"

"明天晚上，我要去那所道观。"

"你要去？"

"你也去吗？"

"……"

"备上酒去看看，果真有什么出来，感觉也不坏呀。"

"去也不妨，不要紧吗？"

"什么事情不要紧？"

"觉呀。心思被它说中，心不就成了空壳吗。"

"你不去？"晴明一本正经地问。

"我没那么说。"

"那就去吧。"

"好，好的。"

"那就走一趟。"

"好，走一趟。"

事情就这样定下来了。

六

半边月亮挂在天空。

月光从坍塌的屋檐洒下，把晴明和博雅笼罩在蓝光之中。

木条地板多已腐烂塌陷，不过四处寻找，还能找到人坐下后不致塌陷的地方。

晴明和博雅坐下来，举杯对饮。

"没想到竟然还有这么一个地方啊。"

博雅右手持杯，说道。

就是那所道观。木条地板塌陷处，野草从中长出。庭院里，野草更是恣意疯长。

晴明家的庭院，看上去也是野草野花自由生长，但与这里相比，还算是收拾过的。

没有灯火。仅靠月光，四周景色隐约可辨。

"从前有好几个道士来这里修行，将门之乱前后，就没有人住了，自那时起就荒废了。"

"不过嘛，晴明——"

"什么事，博雅？"

"其实，我有件事不明白。"

"什么事？"

"就是觉呀。你说了唐土的故事，那时候，觉是以猿猴的模样出现的吧？"

"没错。"

"可为何道孝大人他们所见的，是女人的模样呢？"

"这个嘛，是因为回声啊觉啊之类，原本并无固定不变的形状。"

"……"

"它映现在见者的心上。"

"映现在心上？"

"当觉出现的时候，你认为它是人，它看上去就是人；你觉得它是猿猴类，它看上去就是猿猴类。"

"可是，道孝大人也好秀时大人也好，并不是一开头就认定它是女人呀。"

"没错。"

"那么，为何他们两人都把它看成了女人呢？按你所说，他们二人当时应该各自把它看成不同的东西，这才对吧？"

"博雅，你说得没错。不过，这种时候人们往往把它看成同样的东西，因为人情就是如此。开头，道孝大人也好秀时大人也好，朦朦胧胧地看见屋檐下有白蒙蒙的东西。于是，秀时大人首先喊出'是女人'。在秀时大人眼中，它大概像女人吧。道孝大人听到喊声，也就觉得它像女人了。"

"那么，在我眼中，它会像什么呢？"

"这个嘛……"

晴明饶有趣味地微笑着，呷一口杯中酒。

"不过，博雅，如果你希望遇上觉后安然无恙，从现在起必须听我的话。"

"为什么？"

"如果我提醒你'博雅，来啦'，从那时起，在我说'好了'之前，你绝对不可以开口说话。"

"好。"

"另外，你把这个收好……"

晴明从怀中取出一张纸片，上面用毛笔写了些咒文之类的东西。

"这是什么？"

"是咒符。预先为你写好的。"

晴明把那张咒符递给博雅。博雅接过来，收在怀里。

"把它带在身边，只要你不出声，它就看不见你。"

"明白。"博雅点点头，又说，"晴明，你行吗？如果那觉——那女子出来的话，你怎么办？"

"你不必担心我……"

说话之间，晴明的眼睛眯起来。

"来啦，博雅！"

正要对晴明说话的博雅，慌忙紧闭刚张开的双唇。

晴明把目光投向野草疯长的庭院。

博雅向那边望去，只见一个白衣女子朦朦胧胧地立于草丛之中。

那女子沐浴着月光，像全身过了水一样闪亮，滑行一般走向木条地板。

虽然走在茂密的草丛中，却不见草动。

"咦，还以为是两个人呢，原来只有你一个啊！"

女子望向晴明，油汪汪的双唇一咧，笑了。她皱着双眉的样子怪怪的。

晴明将视线移向女子，静静微笑。

"你怎么啦？"女子说。

"你为何什么也不想呢？"

女子焦躁地扭动着身体。

"你不怕我吗？"

女子把脸贴近晴明的面孔，近得几乎气息相闻。

"为何不想一想？"女子说。

"为何不思考？"

晴明只是静静地微笑。

"任何小小念头都行，想一想好吗？"

无论对方如何劝说，晴明依旧沉默。微笑始终留在他的唇边。

女子敞开前胸，让丰满洁白的乳房暴露在月光之下，在晴明眼前搓揉起来。白皙细长的指尖捏捏乳头，让它硬起来。

"看不见这个吗？看见了还能完全不动心思吗？"

接着，女子掀起衣裙，连私处也裸露在月光下。

"这样如何？还动不了你的心思？"

女子一边摆动身躯一边说。

但是，晴明的模样没有任何变化。女子焦躁起来。

"喀！"

她张开口，吐出红红的舌。牙齿从嘴里刷刷地伸出来。

"我要吃掉你！"

熊熊燃烧的青焰从女子口中窜出。

女子花了好长时间威逼哀求，打算动摇晴明的心思。但晴明依然如故。

他面带微笑，只是注视着女子。

"哎呀呀哎呀呀，他怎么会什么都不想呢？怎能做到不思索呢？"

女子痛苦地拧着身子，头向两边摇晃，像极力要控制身体。

长发左右甩动，卷住了女子的脸和身体。

"呜呜，这样就吃不了啊。吃不到太饿呀。"

女子眼中开始落泪。

"好饿呀、好饿呀……"

女子痛苦地抓挠喉咙。

不知不觉中，女子的脸庞枯瘦下去了。肤色逐渐变为黑红。她的动作变得有气无力。

最终，瘦成皮包骨的女子干柴似的倒伏在草丛中，消失了踪影。

又过了好长时间，晴明说：

"可以啦，博雅。"

博雅如释重负地说：

"还以为不知怎么收场哩，晴明……"

他膝行至晴明身旁。

"看到了很有趣的东西吧，博雅……"

"噢、噢噢。"博雅点头，"可是，晴明，你不也看到了刚才的情形吗？"

"什么都——"晴明说。

"什么都？你是说什么都没有看见吗？"

"没错。所以，事后要请你把所见所闻——道来啦，博雅——"

"这容易。可是，你坐在这里，究竟在干什么呢？"

"什么都——"

"'什么都'是什么意思？"

"什么都没有想。我什么都没有想，只是坐在这里而已。"

"能做到这样吗？"

"修行到一定程度的僧人，这点功夫都能做到。"

"原来是这样啊。"

"那家伙没有食物。但是，我就在眼前，是有气息存在的，所以她不能消失。因为吃不到，她越发饿得慌。那种饿又加剧自身的饿，最终自取灭亡。"

"啊——"

"好啦。专门备了酒，在这里喝到天亮，其余的事，就留到早上再说吧。"

晴明取酒瓶在手，将酒倒入杯中。

"喝，博雅！"

"好，好的。"

晴明和博雅从木条地板下来，踏足草丛中时，四周已经明亮起来。

晴明分开蓄了朝露、光闪闪的草叶，走在前头。

"喂，在这里呢，博雅！"

他停下脚步。

"你看！"

"噢！"

博雅看见那副模样，倒吸一口凉气。

草丛中，仰卧着一只形状奇特的野兽。猿猴大小，样子像猿，但面孔是人。

"这是？"

"觉嘛。"

晴明回答之时，太阳东升，光线终于射入荒院。

阳光接触到觉的身体时，觉像融入大气一样，瞬间就消失了踪影。

它待过的草丛中，有五颗玉石。

三颗大玉石，两颗小玉石。

晴明捡起那五颗玉石。

"博雅，这些都是被觉所吃的人的心灯。让他们各自服下这些玉石，就会恢复原样了。"

晴明微笑着，又说：

"博雅，我们就迎着朝阳，漫步回去吧……"

"好。"

然后，晴明和博雅穿过道观的门，走到外面，向东漫步，回家去了。

针魔童子

一

天高云淡。

一条带状的白云在蓝天上流动。

大气澄澈，秋风送爽。

龙胆。桔梗。黄花龙芽。

秋花秋草在庭院里摇摆。遮盖其上的片片枫叶，已经染上红色。

明亮的阳光照射着庭院。

源博雅酒杯在手，与安倍晴明相对而坐。

这是在晴明家的外廊内。

坐在二人身旁的蜜虫，待酒杯一空，便默默地为其斟满。

二人悠闲地对饮。虽说是白天，但坐在木条地板上当风一吹，仍觉寒意侵肌。但有酒做底子，这凉风便正是惬意的程度。

不时有枫叶离枝，在阳光中翻飞着落地。

土地的气味。

落叶的气味。

这一切均非夏日所有。

与血一般包含精气的夏日气息不同，有新鲜而强烈的东西在凋落。

是秋的气息。

"这样眺望着树叶掉下来，我不禁感觉不可思议……"

博雅把酒杯从唇边移开，放在木条地板上。

背靠柱子、眺望着庭院的晴明把脸转向博雅，说道：

"博雅，什么事情不可思议？"

"就是那些落下来的叶子呀。"

"树叶？"

"我刚才在想，那些叶子是活着呢，还是已经死了。"

"噢。"

晴明的红唇漾起一丝笑意。看来他对博雅的话产生了兴趣。

"以刚落下的叶子来说吧，离枝前恐怕是有生命的吧。"

"噢。"

"那么，那些叶子是在离枝的瞬间终结了生命吗——这些事情，我始终不大明白。"

博雅拿起蜜虫斟满的酒杯，望着晴明。

"比如说吧，晴明，刚落下的叶子虽说已离枝，却仍像活着一样鲜亮。但是，也有些叶子不离枝，就这样直到冬天，在树枝上干枯了，也会有的吧。"

"对。"

"再比如说吧，晴明，如果我把仍留在枝上的叶子撕碎，那时候，那片叶子就死了吗？"

"……"

"哦，不说叶子了，说树枝更容易明白吧。假定我折断了带着花蕾的樱树枝，这枝条虽说被折断了，不是还有生命吗？因为折下的枝条若插入有水的水瓶中，花蕾不久就会盛开。"

"噢。"

"现在长在那里的那棵枫树，毫无疑问是有生命的。"

"有的吧。"

"它的叶子也是活的。"

"唔，是活的。"

"那么，刚落下的叶子又如何呢？是活的吗？如果仍活着，什么时候会死？如果已死了，是什么时候死的？还有，折一根枝条插在水中，让它活下来，这是将生命一分为二吗？再有，那些叶子，原本就各有生命吗？若有，那些树就拥有如此众多的生命吗？或者说，人的手脚，即便如树枝般被切下，也说不定还活着？"

说到这里，博雅才把端着的酒杯往嘴里送。

"晴明，我刚才就在想这些事……"

"噢。"

"我都弄糊涂了。我不明白生命这回事究竟是怎样的，最终——"

真是不可思议啊——博雅这样发出一声感叹。

"那是与咒有关的事情。"

晴明嘟哝了这么一句。

"又是咒吗？"

"讨厌谈论咒吗？"

"说不上讨厌不讨厌，只是你一谈咒，我就糊里糊涂，弄不清楚了。"

"可是，即便没谈及咒，你刚才不也说不太明白吗？"

"是那么一回事，可是——"

"明白了。"晴明打断博雅的话，点点头说。

"明白了什么？"

"不谈咒。"

"好。"

"不谈咒，用水来作比喻吧。"

"水？"

"用水——唔，说得容易明白些，用河流作比喻吧。举例来说，生命就是河流那样的东西。"

"河流？"

"没错，是河流。"

"河流怎么样？"

"河流是什么，博雅？"

"所谓河流嘛，就是……"

博雅思索着，说不下去。

"河流不就是河流吗？"他说。

"这是没错的，但能否稍改一下，用其他说法？"

"其他的说法？"

"所谓河流，就是水流。"

"水流？"

"水由高处往低处流——这样的流动使水形成了河流嘛。"

"对。"

"鸭川也好，哪里的河流都行，假定这里有一条河流。"

"噢。"

"水在流动。"

"噢。"

"在这条河流中，有几条河流？"

"有几条？既是鸭川，不就只有鸭川这一条河流吗？"

"那么，假如用桶在这条河流中打水，提到高处去，从高处往低处一点点倒，结果呢？"

"结果？"

"那也是水流，虽然规模很小，但不也可以说是河流吗？"

"虽然也是，不过，这种水流不是马上就会停止吗？"

"折来插在水中的枝条又如何？"

"树枝？！"

"那样的枝条也能活一些时候，但不能比原本的树活得更久长。跟这种情况不是一样吗？"

"唔……"

"是一个生命，同时又有无数生命。是一条水流，同时又有无数水流。"

"对、对对。"

"一中有无数，无数又归一。所谓生命，并非树即树、叶即叶。就像河流——亦即水流并非水一样。"

"……"

"但是，如果没有形式，例如花鸟虫鱼、树木树叶，世上便没有所谓生命。水流也是同样。"

"……"

"不能从一棵树上只取出生命，就像不可能从河流里留下水，只取出河流一样吧……"

"噢，噢。"

"这个嘛，以佛家教诲而言，就是空。"

"空？"

"就是说，这世上的一切都下了咒啦。"

"什么？！"

"佛法的空和咒，原本是同样的东西，只是程度稍有不同。所谓咒，就是透过了人的内心的空。人在'空'这个佛法原理上，加上了人的气息，于是成为所谓咒……"

"喂喂，晴明——"

"博雅，怎么啦？"

"你最终还是说了咒。"

"是吗？说了吗？"

"说了。"

"哦。"

"你在谈论河流的比喻时，我感觉已经明白了，可你一提到咒，我不是又弄糊涂了嘛……"

"对不起。"

晴明道歉，嘴角却挂着微笑。

"喂，晴明，不能一边道歉一边笑。"

"对不起。"

"眼睛还在笑。"

"别发火嘛，博雅。"

晴明把右肘架在支起的右膝上。

"有一件事，博雅……"

晴明改换了话题。

"什么事？"

"不太醉的话，待会儿就跟我来好吗？"

"跟你走？去哪里？"

"这个嘛——"

"让我跟你走，你自己却不知道目的地？"

"顺朱雀大路南下，噢，到罗城门一带就行了吧。"

"什么？！"

"有人委托我找东西哩。"

"找东西？"

"对。"

"谁委托你？"

"要说是谁，也挺有意思，就是照顾性空上人起居的那位……"

"这性空上人，就是播磨国的——"

"对，就是饰磨郡书写山圆教寺的性空上人。"

"可是，性空上人为何还要你……"

"不，不是性空上人。我不是说，来委托我找东西的，是服侍性空上人的那位吗？"

"是谁呀？"

"他来了你就明白了。"

"来？来这里吗？"

"对。"

晴明点点头。

二

性空上人出生于播磨国。

他是官从四位下的橘朝臣善根的儿子。

他的母亲是源氏，生下众多子女，但每次都为难产所苦，在怀上老幺性空上人时，家中决定将此子流产。她服了毒药，但无效。

正想怎么办好时，母亲做了一个梦。毗沙门天出现在梦中说：

"请于播磨国生产此子。"

母亲把此事告诉了丈夫和家中的人。

"与腹中孩子相比，你的身体才叫人担心呢。"

"即使是伊奘诺与伊奘冉两位大神，在蛭子出生后，也让他顺水流走了啊。"

丈夫和周围的人这样说着，无论如何都要让她流产。

于是，母亲仅带了几个随身之人，隐瞒行踪，进入了播磨国。性空上人因此得以平安降生。

性空上人出生时出现了几种奇瑞。

据说天空响起钟鸣之声，天降金粉于其家宅。

哺乳之时，乳母抱起上人，便感觉异样，不知不觉睡着了。稍后醒来时，发现抱在手中的性空上人竟不知所踪。

家中大为恐慌，众人四下寻找，发现还是一个赤子的性空上人，竟独自坐在大宅的北墙根玩耍。

这个刚出生的婴儿连走路也不会，究竟是怎样来到这里的呢？

从年幼时起，他就不杀生，不合群玩耍，只是坐在幽静之处冥想。他笃信佛法，希望出家。

十岁时已习八卷《法华经》。

行成人冠礼是在十七岁之时。

后来，他随母前往日向国。出家时年二十六。

他在叫雾岛的地方闭门不出，日夜诵读《法华经》。

这个时期也有奇瑞出现。

性空埋头诵经，没有时间化缘讨得食物。但不可思议的是，当没有食物时，不知何时大门下就会放有三块烧饼。

据说吃这些烧饼，仅一块就足以数日不食。

他离开雾岛，移居筑前国背振山时，年三十九岁，已能背诵《法华经》。

现在，他于出生之地播磨国饰磨郡的书写山上，结庵三间居住。

不知从何时起，也不知是谁先叫开的，这所庵被人以"寺"名之，称为圆教寺。

皇上也曾数度驾临。

有一次，皇上带杰出的画师延源阿阇梨驾临，为上人绘像。绘画之时，大地轰鸣。然而，无论大地如何摇晃，却没有任何房屋毁坏、东西倒下的情况发生。

皇上觉得不可思议，询及此事时，据说上人这样答道：

"此乃写我形而有之，不必恐慌。"

这样的传闻，博雅已在宫中纷传时听说过了。

"就是播磨国的那位……"

博雅的话就是因此而来。

三

"可是，要说照顾性空上人的那位……"博雅问。

"哦，一步步说吧。博雅，我先问你：听说最近在朱雀大路发生怪事了吧？"

"怪事？"

"对。比如说，藤源清麻吕大人的事。"

"噢，他的事倒是听说了。好像是他外出的时候，牛忽然发疯，大闹起来了……"

"正是。"

"据说牛车翻了，清麻吕大人的手负了伤。"

"其他的呢？"

"其他？说起来，还听说橘将隆大人晚上想到女方家去，在路上被虫子之类的东西刺了脖子。"

"没错。"

"据说是突如其来的。要是蜜蜂什么的，该听得见嗡嗡的振翅声的，可他完全没听到这类声音，冷不丁就被刺了。他慌忙用手去摸脖颈，虫子已不在了，似乎飞走了。"

等博雅说完，晴明望着博雅，说道：

"其实嘛，类似的事还有不少。"

"还有？"

"一个从西京来卖柴的男子，也在朱雀大路被虫子扎了屁股。"

"虫子？"

"哦，且把它当作虫子吧。"

"还有吗？"

"还有，是两天前的事。平行盛大人骑马走在朱雀大路上，也是马匹忽然受惊，行盛大人被掀落马下，肩部着地，造成肩骨脱位。"

"噢，也是发生在朱雀大路上吗……"

"对。"晴明点点头，"唔，据我所知，仅仅在这五天之间，类似的事已发生了八起左右。"

"八起？"

"对。"

"你说陪你走一趟，与此事有关吗？"

"对，有关。"

"那，去朱雀大路吗？"

"是这么一回事。"

"陪你去很简单呀，该走了吗？或者……"

博雅说这话时，晴明瞥一眼庭院，说：

"是动身的时候了。"

"是时候了？"

"看来，刚才和我谈话的人已经回来了。"

"什么？"

"在你过来之前，那位大人在这里。他有事外出了，现在已经返回。"

晴明话音未落，有人绕过屋角，向这边走来。

分开秋野般的繁草现身的，是个年仅十四五岁的童子。

"晴明大人……"童子走上前来，殷勤地向晴明俯首致意，"事情已禀报对方，答复是'事既如此，宜稍搁置'。"

童子说了这样的话。

"这不是挺好吗。"

"这也是仰仗晴明大人了。"

"那么，请在那边等待。若找到了，我会立即奉上。"

"谢谢晴明大人。"

童子又低首致意。他的礼貌和口吻，颇有成年人的味道。

"那么，我在那边等了。有劳大驾，不胜感激。"

童子又数番道谢，才分开草丛走了。

等童子的动静完全消失之后，博雅才将充满好奇的脸转向晴明，像泼水般一口气说起来：

"刚才你们在说什么事？刚才来这里的童子，就是你正在等的那位在性空上人身边照料的人吗？你为何称这童子是'那位'？我什么都不明白呢——"

"一步步弄明白嘛。"晴明说。

"别一步一步的，现在就告诉我。"

晴明像听不见博雅的话似的，站起身说："走吧，博雅。"

"喂，晴明……"博雅也把重心由臀部移到脚上。

"你不去？"

晴明佯装不知地说。他眼看就要迈步了。

"等、等等我——"

博雅连忙也起身。

"要去吗？"

"去。"

博雅点点头，站了起来。

"走吧。"

"走！"

事情就这样定下来了。

四

晴明和博雅下了牛车，走在朱雀大路上。

由北向南。

在阳光中，二人悠闲地向南漫步。

有卖柴的人在走，也有牵着驮马、同样走朱雀大路南下的人。

正前方，远远望得见罗城门。

望得见罗城门左边东寺的塔，以及右边西寺的塔。

博雅边走边发牢骚。

"晴明，你为什么对我一言不发？"

博雅看来颇为不满。

"没有那回事呀。"

晴明边说边悠然前行。他左手提一个用带子绑好的酒瓶，里面装了酒。

"不，你有。"

博雅一口咬定。

"你手里提的是什么？"

"酒。"晴明说。

"我当然知道。我要问的是，为何特地把酒带到这里来？"

"我想，要是找到了那个东西，就在这里喝上一杯。"

"所以我问你好几次了：要找的东西是什么？你总是不答复我。"

"猜猜如何？"晴明说。

"你刚才说了会告诉我的。为什么非要我猜不可？"

"没有信心猜中吗？"

"不，我说的不是自信不自信的问题。我是说：你不是说过要告诉我吗？"

"我什么时候说要告诉你？"

"你说过的。"

"我说的是，你终会明白。"

"终、终会……"

“我说的是‘明白’，不是‘告诉’。”

“晴明，你这不是给我下圈套吗？我——”

“所以嘛，猜猜看如何？”

“猜？”

“对呀，你应该能明白我现在要找的东西是什么。”

“我不明白嘛，晴明。为什么我会明白？”

“因为关于它的资料，都已经告诉你啦。”

“那——”

“好吧，博雅，我先问你：这事与哪个地方有关？”

“你说的地方……”

“性空上人现在何处？”

“他在播磨国。”

“你不是早就知道吗？”

“我知道他在播磨国，但就凭这一点，就能弄明白要寻找什么吗？”

“能明白。”

“不明白。”

“好吧，性空上人诞生之时发生的事，你也知道不少吧？”

“是，没错。可那又如何？”

“这是第一点。”

“什么第一点？”

“第二点是吉备真备大人。”

“为何此时要提及吉备真备大人的名字？真备大人很久以前就去世了。”

“这位吉备真备使唐归来之后，开设了——”

“是那个广峰祇园社吧？”

“那广峰祇园社现在何处？”

“是播磨国吧。吉备大臣做灵梦，梦见牛头天王，于是为祭祀牛头天王而开设广峰祇园社。"

"吉备大臣还很了解铁和黄金。"

"对。"

"在东大寺大佛殿建毗卢舍那佛像时，多方活动、为筹集贴于大佛上的黄金出了大力的，就是这位吉备真备……"

"……"

"吉备大臣还被誉为我阴阳道之祖。这位吉备大臣和那里关系之深，是不言而喻的。"

"'那里'？"

"对呀。那里还是产铁之地。"

"播磨国吗？"

"没错。"

"是播磨国又如何呢？"

"回想一下吧，博雅，听说过性空上人诞生之时，左手掌紧握的事吗？"

"噢，听说过。"

"他左手握的是什么？"

"是、是针。不是针吗，晴明？"

"没错。说到针——"

"那不是播磨国盛产的吗？"

博雅说出这句话时，"噗！"晴明用左手轻轻捅了博雅胸口一下。

博雅不觉打了个跟跄，喊道：

"你这是干什么呀，晴明？"

话音刚落，博雅眼前好像有一道光掠过。

闪光之时，晴明已伸出右手，在博雅眼前的虚空里摆动。

博雅一拧身站稳，大喊起来：

"怎、怎么回事，晴明！"

晴明向握拳的右手吹两口气，口中低声念起咒来。

"结束了。"晴明说。

"什么结束了？"

"这个——"

晴明伸出右手，在博雅面前摊开，让他看。

他手中托着一根针。

"这是什么？"

"针。"

"不，我知道是针，我是说，这针究竟怎么回事？"

"性空上人诞生之时，他掌中所握的就是这根针。"

"不明白。你想说什么？"

"我在找的，就是这根针。"

"什么？！"

"那么，我们走吧。"

"走？去哪里呀？"

"西京。"

"……"

"去找芦屋道满大人。"晴明说。

五

晴明和博雅跨过坍塌的土墙，进入庭院里面。

杂草遍地。是秋草。

有点像晴明的宅院，但晴明家的庭院，无论看上去多像不加收拾的野地，也有晴明的意志在起着相应的作用。

草是有意识留下的，多少收拾过了。

可是，这里——

就是一块野地。

秋草恣意疯长，那丛芒草的花穗，甚至高过人头。

晴明胸有成竹地迈步向前，分开杂草进入里面。

这里有一所本堂。

虽是本堂，却不大。

真是一所破寺。屋顶破烂不堪，瓦都脱落了。

屋顶甚至长了草，摇曳着芒草的花穗和黄花龙芽。

木条地板也处处断裂掉落。野草从其下长出，简直就像无人在此居住。

但有人。

一位衣衫褴褛的老人躺在木条地板上。他侧躺着，右肘撑地，右掌托着脑袋，打量着走过来的晴明和博雅。

正是芦屋道满。

他所着衣物应该是水干，但已千疮百孔，一下子还看不出原本为何物。

白发，白髯，眺望着二人的黄色眼睛炯炯有神。

这位老人——道满的身旁，坐着不久前见过的那个童子，正起劲地为道满揉腰。

"来啦，晴明……"

道满照旧躺着，说道。

"我带酒来了。"

还没有寒暄，晴明已将左手扬起，所持的酒瓶装满了酒。

道满脸上蓦地现出柔和的微笑。

"嗬，很聪明嘛。"他撑起身体，盘腿而坐，"嗯，结果如何？"

"顺利找到了。"

"真的吗？"

听晴明这么说，道满身边的童子变成膝立的姿势，欣喜地说道。

"好，请上来吧。"道满说。

晴明照他说的，走上木条地板。博雅也跟着上了木条地板。

晴明和博雅取适当的距离，坐在道满和童子面前。

咚的一声，晴明把酒瓶放在木条地板上。

"让我看看吧。"

"好。"

晴明伸出右手，打开让对方看。手掌上托着那根针。

"是这个吗？"道满说。

"若已镇住，肆意妄为之事，该不会再有了吧。"

"应该是吧。"

道满把针拿在手上。

"性空的针，不简单哩。"

"是的。"晴明点头。

道满转向童子，说："怎么样，拿着试试？"

他递上那根针。

"不，我已经充分领教过了。"

童子左右摇着头，辞谢了。

"向晴明道谢吧。"道满说。

"晴明大人——"童子端坐着转向晴明，恭敬地说，"此事万分感激，如果没有晴明大人，这阵子我不知要闯多大的祸……"

"我也没怎么费事。我请这位博雅大人帮了忙，让他在朱雀大路不断地说着'播磨播磨'，这才把针找出来了。"

虽然晴明这样说了，童子却更加必恭必敬。

"哎，晴明……"博雅开口道，一副按捺不住的样子，"我还蒙在鼓里呢。我究竟帮了什么忙？让我说播磨，又是怎么回事？"

"啊，对不起，博雅，慢慢向你解释吧。"

晴明边说边从怀中取出四个纸包的陶杯，放在木条地板上。

童子拿起酒瓶，说："来吧，博雅大人。"

他为放在博雅面前的陶杯斟上酒。

"唔、唔……"

博雅拿起斟满酒的陶杯。

"来……"

童子依次为道满、晴明的陶杯斟上酒。

道满取杯在手，美美地一饮而尽。

"好酒！"

他心满意足地嘟哝一声。

童子看着三人轮番送酒入口，为空了的陶杯再度斟满。

酒足之后，童子又看看三人，说道：

"首先从我开始说起吧。"

童子开始叙述起来。

"直到不久前，我一直在播磨的性空上人身边。那根针，是我从上人身边带出来的……"

六

有一天——

一名童子来到在播磨书写山修行的性空上人身边。

"身短而横，有力、赤发……"

是个子矮小、孔武有力的孩童。奇特的是一头红发。

这名童子说：

"无论如何，请让我留在上人身边服侍。"

尽管已有数名弟子或童仆边修行边在性空上人身边服侍，或替寺院做事、打杂，上人还是准许童子留下。

"既然如此……"

这赤发童仆做事勤快。砍柴搬运时能顶四五个人。让他外出办事，百町远的地方，他走起来像二三町，办妥即归来，花不了多少时间。

"他被视为掌上明珠了吧。"

弟子们对此童子佩服得很，唯独性空上人的想法不同。

"此童目神可畏，未获我心。"

也就是说，这童子眼神中有可怖之处，这一点令人不放心。

快满一年的时候——

服侍性空上人的，还有一个比这童子略大的童子，但有一次，这两名童子为微不足道的事吵起架来。

"是你不好。"

"不，是你造成的。"

二人各不相让，互相指责对方，吵着吵着，赤发童子出手打了对方的头。

就那么一击，略大的童子竟仰面倒下，不省人事。

众弟子见状围过来，抱起略大的童子，为他抚颊、往额头浇水，过了一会儿，他才苏醒过来。

性空上人获悉此事说：

"悔不该用此童。"

就是说，事实证明，当初不让这名童子留下就好了。

"因为某种原因，才留下了你。但既然发生了这样的事，这里就再不能容纳你了。"性空上人说，"速速离去。"

童子哭着请求原谅。

"请不要那样说，把我留下吧。我若回去的话，会受到重罚。"

童子哭哭啼啼。

"我主遣我殷勤侍候。"

自己的主人吩咐我来服侍性空上人，但若主人知道我被赶走，他一定会重罚我——童子这样说道。

但是，上人没有改变想法。

"不，不行。"

话说至此，已不可挽回。

童子啼哭着出门而去，刚出大门便像消失一般，看不见身影了。

"怎么回事呢？他是——"

"他是个怪物吗？"

"若上人当初知道他是个怪物，恐怕从一开始就不会留用他吧。"

弟子们议论纷纷。

性空上人听见众人的议论，说道：

"因为有某种原因，所以一直没有说。但照此下去，再不跟你们说明的话，会妨碍你们修行，所以，我就告诉你们吧。"

性空上人开始叙述起来。

"大约一年前吧——"

上人入睡之后，梦中出现了毗沙门天。

"有何不便之处吗？"

毗沙门天对性空这样说。于是，性空说道：

"那么，能有人帮我处理身边各种事情吗？"

到此，他便醒过来了，没隔多久，那名童子便上门来了。

"那么，那名童子是毗沙门天使唤的童子吗？"

"没错。"

"他为何那个样子……"

"他是跟随毗沙门天的护法童子之一。"

"原来是——"

"见面时，我马上就明白了，心想，他品性有粗暴之处，不宜带在身边，但因为是自己向毗沙门天提出的，总得等有个理由才好，所以便让他留下了。"

上人这样说道。

"那，这护法童子是怎么回事？"一名弟子问。

"就是东寺的善腻师童子。"性空说道。

然而——

从这名童子离开的那天起，上人平日极为珍视的、他出生时手握的那根针，从平常放置之处消失了。

七

"是我拿走了那根针，带到京城来了。"童子说。

"那么，你是——"

"我是善腻师童子。"

童子望着博雅，报出自己的名字。

"怎么竟然——"

"在教王护国寺，平时，由我和吉祥天一起立于毗沙门天像旁。"

童子所言，大出博雅意料之外。博雅一下子竟无法相信。

但是，他看看晴明的表情，感觉童子不像在说谎。

"不过，善腻师童子大人为何要带走上人的针呢？"博雅问道。

"我以为拿走如此重要的东西，上人必能马上察觉，来追我回去。"童子说道。

"我打算等他追来时，再次求他让我留下。我会说，我归还针，千万求您让我在您身边……"

童子潸然泪下。

"可是，我想错了。"

他低下头。

"我边向京城而来边想：何时追来呢，何时追来呢？我终于来到了罗城门，但不用说上人，谁都没有追来。"

"然后呢？"

"随着我离播磨越来越远，手中的针慢慢热起来，最终，在罗城门附近，针变得通红，把我的手烫出了伤疤，实在是拿不住了。"

就这样带着针返回东寺的话，毗沙门天不知将处以何种重罚呢。

正为难之中，针更热了，童子终于坚持不了。

"我不觉把那针扔掉了。"童子说。

然而，即使扔掉了针，还是不能返回东寺。就此返回播磨也不成。

童子在朱雀大路徘徊了一段时间，想寻回扔掉的针，但找不见了。

这中间，发生了奇怪的事情。

行走在朱雀大路的牛、马或人，有不少被类似虫子的东西扎了。不过，这虫子的真身不明。

"通过调查，发现了奇怪的事情。"

说话的是晴明。

"发现了什么？"博雅问。

"被虫子扎伤的，全都是前往播磨的人或者牛马。"

"什么?！"

博雅不禁一声惊呼。

"就在那个时候，善腻师童子大人来了。"晴明说。

"找不到针，我思前想后，只得去找晴明大人商量。"童子说。

"所以，我就知道那虫子的真身了。"

"真身？"

"就是那根针。"

晴明望望道满仍旧用指尖捏着的针。

"可是，这针，它为什么……"

"大概是想返回播磨的性空上人身边吧。所以，它就扎向要去播磨的人或马的身体，打算回播磨去，但毕竟是性空上人的针——它一见伤及人畜，马上就离开对方落到地上了。"

"于是便屡次发生同样的事？"

"对。"

"那么，晴明，让我在朱雀大路上多次说出‘播磨’这个词，也是——"

"我想让掉在朱雀大路上的针来刺博雅大人。"

"你为何不对我说清楚呢？"

"我担心说出来你就会害怕。把‘播磨’这个词说出口的时候，稍为有点害怕，就含混不清了。那样的话，性空上人的针就不会飞过来了。"

"原来如此……"博雅点点头，又问，"我还有不明白的地方，就是这位道满大人的事。"

"不明白什么？"道满问。

"很简单嘛，博雅。"晴明代道满答道，"道满大人是播磨出身哩。"

"……"

"播磨的阴阳师，都是师从道满大人的。"

"噢，原来是这样。"

"性空上人当初结庵于书写山，也全靠道满大人介绍。"

"是这样啊……"

"找到针的话，就要请道满大人为这次的事情周旋一番了。"

"噢。"

"因为针肯定能找到，所以事先把善腻师童子之事拜托了道满大人。"晴明说道。

"唔，就是这么回事。"道满点点头同意，"只要有针，我就跟性空说个情吧。"

言毕，道满哈哈大笑。

不知不觉中，道满的陶杯已空。他让童子斟酒，又美美地喝起来。

"原来如此啊。"

博雅发出一声感叹。

"喝吧，博雅——"

道满手持酒瓶，向博雅伸出去。

"喝！"

博雅端起陶杯，答应道。

"怎么样，博雅，喝了这杯后吹一段笛子？"晴明说。

"好。"博雅应允。

"好啊，博雅大人的笛子吗？也是我的期待哩。"道满说。

博雅如大家所望，在酒后吹起笛子。

悠扬的笛音在秋野中回荡，乘风直上苍穹。

八

之后，经道满说情，童子得以回到性空身边。

性空一直活到宽弘五年才辞世。享年八十岁。

性空死后，童子又返回东寺。

据说，有一段时间，在这名童子——善腻师童子的左手上，看得见一条细长的伤痕。

平安时代中期的平安京示意图

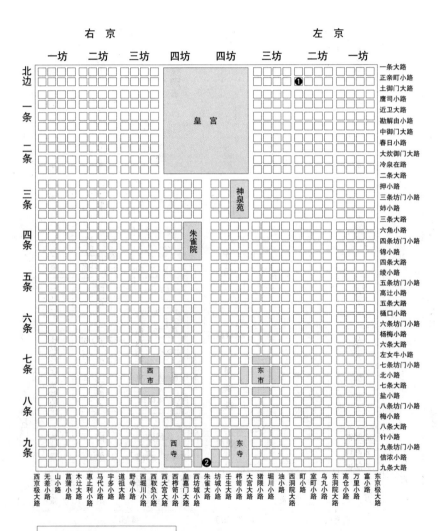

右　京　　　　　　　　左　京

一坊　二坊　三坊　四坊　四坊　三坊　二坊　一坊

北边
一条
二条
三条
四条
五条
六条
七条
八条
九条

皇　宫

神泉苑
朱雀院
西市
东市
西寺
东寺

一条大路
正亲町小路
土御门大路
鹰司小路
近卫大路
勘解由小路
中御门大路
春日小路
大炊御门大路
冷泉在路
二条大路
押小路
三条坊门小路
姊小路
三条大路
六角小路
四条坊门小路
锦小路
四条大路
绫小路
五条坊门小路
高辻大路
五条大路
樋口小路
六条坊门小路
杨梅小路
六条大路
左女牛小路
七条坊门小路
北小路
七条大路
盐小路
八条坊门小路
梅小路
八条大路
针小路
九条坊门小路
信浓小路
九条大路

西京极大路
无差小路
山小路
菖蒲小路
西辻利小路
木辻大路
惠止利小路
马代小路
宇多小路
道祖大路
野寺小路
西堀川小路
西大宫大路
西椂门小路
皇嘉门大路
西大宫大路
朱雀大路
坊城小路
西洞城小路
壬生大路
梆笥小路
大宫大路
猪隈小路
堀川小路
油小路
西洞院大路
町小路
室町小路
乌丸小路
东洞院大路
高仓小路
万里小路
富小路
东京极大路

❶安倍晴明宅邸　❷罗城门

平安宫大内里示意图

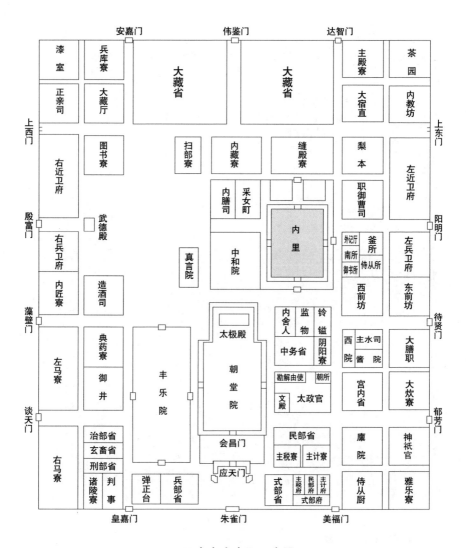

平安宫大内里示意图

平安宫内里示意图

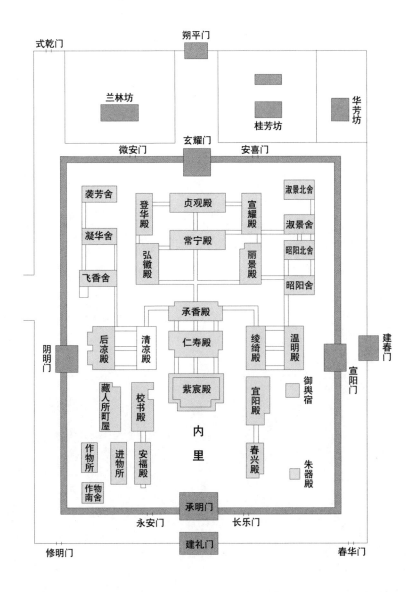

图书在版编目（CIP）数据

阴阳师.第3卷／〔日〕梦枕貘著；林青华译. —2版.
—海口：南海出版公司，2014.1
ISBN 978-7-5442-6967-4

Ⅰ.①阴…　Ⅱ.①梦…②林…　Ⅲ.①短篇小说-小说集-
日本-现代　Ⅳ.①Ⅰ313.45

中国版本图书馆CIP数据核字（2013）第268842号

著作权合同登记号　图字：30-2012-011

ONMYÔJI - Ryûteki no Maki
Copyright © 2002 by Baku Yumemakura
First published in Japan in 2002 by Bungeishunju Ltd.
ONMYÔJI - Taikyoku no Maki
Copyright © 2003 by Baku Yumemakura
First published in Japan in 2003 by Bungeishunju Ltd.
Simplified Chinese translation rights arranged with Baku Yumemakura Office
through Japan Foreign-Rights Centre/ Bardon-Chinese Media Agency
All rights reserved.

阴阳师 . 第三卷
〔日〕梦枕貘 著
林青华 译

出　　版　南海出版公司　（0898）66568511
　　　　　海口市海秀中路51号星华大厦五楼　　邮编 570206
发　　行　新经典发行有限公司
　　　　　电话(010)68423599　　邮箱 editor@readinglife.com
经　　销　新华书店

责任编辑　翟明明
特邀编辑　朱文婷　陈文娟
装帧设计　韩　笑
内文制作　田晓波

印　　刷　北京天宇万达印刷有限公司
开　　本　850毫米×1168毫米　1/32
印　　张　8.5
字　　数　230千
版　　次　2005年4月第1版　2014年1月第2版
印　　次　2021年1月第16次印刷
书　　号　ISBN 978-7-5442-6967-4
定　　价　49.00元